Perder a cabeça

Tradução **Patrizia Cavallo**

Questo libro è stato tradotto grazie ad un contributo del Ministero degli Affari Esteri e della Cooperazione Internazionale Italiano

(Obra traduzida com a contribuição do Ministério das Relações Exteriores e da Cooperação Internacional da Itália)

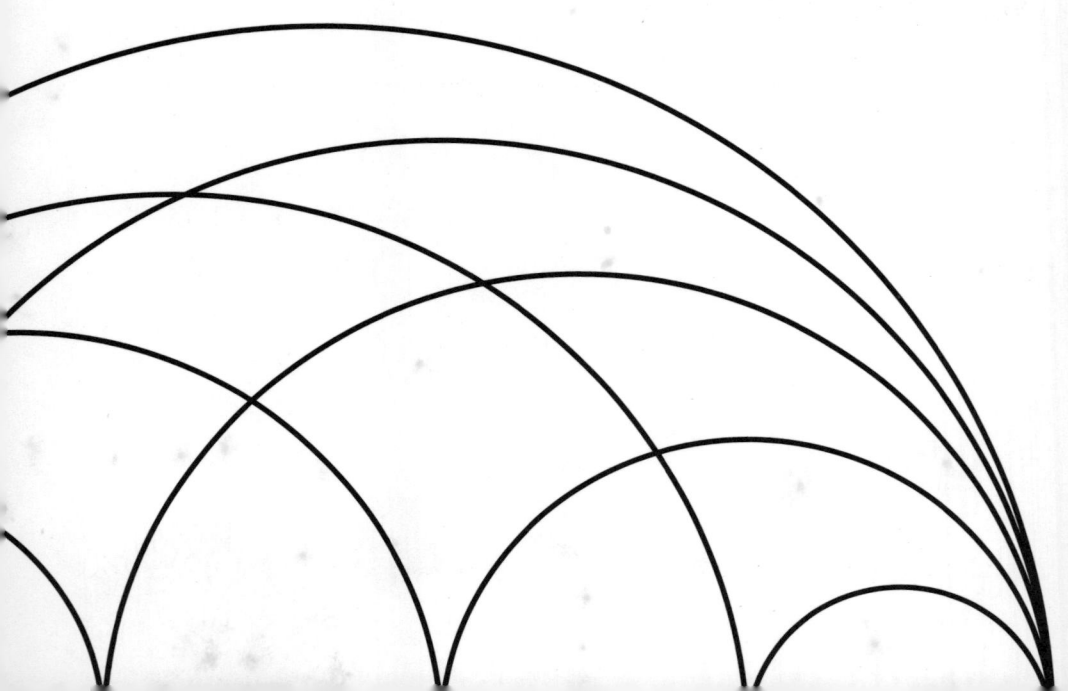

Perder a cabeça

Abjeção, conflito estético e crítica psicanalítica

Giuseppe Civitarese

Porto Alegre · São Paulo · 2019

Copyright © 2011 Editrice Clinamen

Título original:
Perdere la testa: abiezione, conflitto estetico e critica psicoanalitica

CONSELHO EDITORIAL Gustavo Faraon e Rodrigo Rosp
CAPA E PROJETO GRÁFICO Luísa Zardo
REVISÃO TÉCNICA Alda Regina Dorneles de Oliveira, Juarez Guedes Cruz, Luisa Maria Rizzo, Nina Rosa Furtado, Rosane Schermann Poziomczyk e Tula Bisol Brum
REVISÃO Fernanda Lisbôa e Gustavo Melo Czekster
FOTO DO AUTOR Arquivo pessoal

Dados Internacionais de Catalogação na Publicação (CIP)

C582p   Civitarese, Giuseppe
        Perder a cabeça: abjeção, conflito estético e crítica psicanalítica / Guiseppe Civitarese ; trad. Patrizia Cavallo. — Porto Alegre : Dublinense, 2019.
        208 p. ; 23 cm.

        ISBN: 978-85-8318-122-4

        1. Psicologia. 2. Psicanálise. 3. Crítica psicanalítica. 4. Medicina psicossomática. I. Cavallo, Patrizia. II. Título.

                                      CDD 150.195

Catalogação na fonte: Ginamara de Oliveira Lima (CRB 10/1204)

Todos os direitos desta edição reservados à Editora Dublinense Ltda.

EDITORIAL
Av. Augusto Meyer, 163 sala 605
Auxiliadora — Porto Alegre — RS
contato@dublinense.com.br

COMERCIAL
(11) 4329-2676
(51) 3024-0787
comercial@dublinense.com.br

"Por que o papai estava carregando a cabeça em uma bandeja?"
(Freud, *A interpretação dos sonhos*)

"É a melodiosa tinta da beleza, sobreposta às trevas e ao espetáculo da punição, que torna humana e harmoniosa a impressão."
(P. B. Shelley, *Sobre a Medusa de Leonardo Da Vinci na Galeria de Florença*)

*Ao Domenico,
que, no cinema,
assistiria a todos
os filmes.*

11   **Apresentação da edição brasileira**

17   **Nota da tradutora**

19   **Premissa**

27   **Capítulo I**
       Para uma (nova) crítica psicanalítica
       Giuseppe Civitarese, Sara Boffito e Francesco Capello

47   **Capítulo II**
       Conflito estético e abjeção na *(L)Isabetta* de Boccaccio

71   **Capítulo III**
       Do *Vas Luxuriae* ao futurismo elétrico. Corrado Govoni em corrente alternada
       Francesco Capello e Giuseppe Civitarese

105   **Capítulo IV**
       Os ciborgues sonham? Visões do pós-humano em *Caçador de pesadelos* de Shinya Tsukamoto

125 **Capítulo V**
A tela do sonho e o nascimento da psique em *Persona* de Ingmar Bergman

141 **Capítulo VI**
Sem bárbaros, o que será de nós? Culpa e paranoia em *Caché* de Michael Haneke

153 **Capítulo VII**
O criado de Joseph Losey, ou a vida estilhaçada

173 **Capítulo VIII**
The last riot e as decapitações estilo déjà-vu do coletivo AES + F
Giuseppe Civitarese e Sara Boffito

190 **Referências**

205 **Filmografia**

Apresentação da edição brasileira

Uma vez mais, é com grande satisfação que apresentamos o novo exemplar da Coleção da SPPA em parceria com a editora Dublinense, o livro *Perder a cabeça*, de autoria de Giuseppe Civitarese em colaboração com Sara Bofitto e Francesco Capello.

Nosso colega Giuseppe Civitarese é psicanalista didata da Sociedade Italiana de Psicanálise, em Pavia, doutor em Psiquiatria e Ciências relacionais e ex-editor da Revista Italiana de Psicanálise. Giuseppe esteve em nossa Sociedade em 2015 e mantém uma próxima relação com diversos de nossos colegas locais. Ele é autor ou coautor de outros quinze livros e autor de um grande número de artigos e capítulos de livros.

Civitarese tornou-se internacionalmente conhecido por seus estudos sobre Wilfred R. Bion, inicialmente com Antonino Ferro e, posteriormente, por seus desenvolvimentos pessoais do pensamento daquele autor e do trabalho com o campo psicanalítico e a intersubjetividade. Seus livros incluem *The intimate room: theory and technique of the analytic field* (2010); *The violence of emotions: Bion and post-bionian psychoanalysis* (2012); *The necessary dream: new theories and techniques of interpretation in psychoanalysis* (2014); *The analytic field and its transformations com Antonino Ferro*

(2015). *The W.R. Bion tradition* (2015), editado com Howard Levine; *Truth and the unconscious in psychoanalysis* (2016); *Advances in contemporary psychoanalytic field theory: concept and future development*, editado juntamente com S. Montana Katz e Roosevelt Cassorla (2016); *Bion and contemporary psychoanalysis* (2017); *Sublime subjects: aesthetic experience and intersubjectivity in psychoanalysis*, (2017); *Un invito alla psicoanalisi,* com Antonino Ferro (2019) e *An apocryphal dictionary of psychoanalysis* (2019). Uma de suas principais ênfases teóricas é o desenvolvimento da compreensão da construção do significado da experiência emocional (uma "paixão pelo sentido" como refere em sua "Premissa"), seu detalhamento, seus obstáculos (através dos vínculos negativos, dos ataques aos elos do pensamento), tanto na constituição do indivíduo psíquico como na "sala íntima", no processo analítico.

Sara Bofitto é psicóloga clínica e candidata à formação psicanalítica na Sociedade Psicanalítica Italiana, também em Pavia. Trabalha na cidade de Milão com crianças, adolescentes e adultos. É autora da tese de doutoramento: *La più indipendente degli indipendenti: la psicoanalisi e vita de Nina Coltart*. Autora de artigos publicados em revistas italianas, na Revista American Imago e de capítulos de livros *Intime stanze: la casa della psicoanalisi*, juntamente com Giuseppe Civitarese (no livro *Le case dell'uomo: abitare il mondo*, 2016) e *Bare attention, the love that is enough?*, com Gerardo Amadei (no livro *Her hour come round at last: a garland for Nina Coltart*, editado por Gillian Preston e Peter L. Rudnytsky, 2018).

Francesco Capello é professor e conferencista em literatura italiana da Universidade de Leeds, na Inglaterra. É graduado também em História das Religiões. Sua tese de doutoramento foi focada na literatura *avant-garde* da Itália do início do século XX e nas diferentes influências e inter-relações dos discursos sobre subjetividade daquela época e os espaços urbanos, as "cidades literárias".

Mais recentemente passou a estudar a psicanálise italiana contemporânea, tendo feito estudos, além disso, no Instituto de Psicanálise de Londres, cursando atualmente um mestrado em Psicologia Clínica na Universidade de Turim, na Itália. Foi tradutor de um grande número de livros e artigos de psicanálise do e para o italiano e inglês.

Seu projeto *Guerra na mente: simbolismo e discurso intervencionista na Itália de 1883 a 1915*, de 2011, reúne literatura, história e teoria psicanalítica pós-kleiniana. Publicou artigos na Rivista di Psicoanalisi, no Italian Psycoanalytic Annual, no International Journal of Psychoanalysis e um capítulo no livro *The Bion tradition,* editado por Civitarese e Howard Levine em 2015.

No presente livro, *Perder a cabeça*, refletem sobre o tema "decapitação", frequente em diferentes expressões artísticas utilizando o referencial bioniano e pós-bioniano, aproximando-o do conflito nuclear para este autor entre "viver a emoção e evitar a emoção", que poderia ser fraseado metaforicamente como "construindo uma cabeça-psiquismo ou perdendo a cabeça-psiquismo".

Apresentam seu plano de trabalho e motivações, bem como apresentam cada capítulo do livro no prólogo *Premissa*, fazendo com que seja desnecessária sua repetição nesta apresentação. Nesse prefácio, mencionam que "não por coincidência" a conhecida psicanalista e autora Julia Kristeva, de Paris, aborda o mesmo tema em seu livro *Visions capitales: arts et rituels de la décapitation* (2013), com outro objetivo e referencial teórico e que, em um plano ideal, deveria haver um diálogo entre as duas obras.

Kristeva foi curadora de uma exposição com este nome no Museu do Louvre, em 1998, cujo catálogo transformou em livro. Ela é também a autora do conceito de "abjeção" utilizado pelos autores da presente obra em seu subtítulo e discutido amplamente no capítulo II (*Conflito estético e abjeção na (L)Isabetta de Boccaccio*), aproximando-o do conceito de conflito estético de Donald Meltzer (*The apprehension of beauty: the role of aesthetic conflict in development, art and violence*, por Donald Meltzer e Meg Harris Williams, 1988).

Kristeva, em 1980 (*Pouvoirs de l'horreur : essai sur l'abjection*), utilizando um conceito de Georges Bataille, sugere que o "abjeto" é parte da constituição do indivíduo. Abjeção é aquilo rechaçável que se produz de forma ameaçadora e não assimilável, porém, ao mesmo tempo, solicita, inquieta e fascina o desejo. A abjeção se constitui na heterogeneidade da linguagem entre o semiótico e o simbólico. É um entremeado de afetos e "proto"-pensamentos, não sendo nem parte do objeto, nem do sujeito – ainda não constituído –, mas uma qualidade oposta ao "eu incipiente", talvez em sentido semelhante ao movimento de "duplo" de André Green exposto em *Narcissisme de vie, narcissisme de mort* (1988). O abjeto, na visão da autora, mantém-se em permanente tensão com o objeto, este último estruturante e convocador da significação, enquanto o primeiro, o abjeto, conduz à impossibilidade de significação, tendo sua aparição em sonhos, condutas humanas (entre elas a decapitação) e obras de arte. É na esteira desta conceituação que Julia Kristeva concebe a exposição do Louvre, e seu livro aborda desde o papel "sacro" da cabeça humana e seu lugar antropológico até a "profanação" deste sagrado como manifestação do "abjeto". Imaginamos que "não por coincidência" significa que o conceito e o livro de Kristeva serviram de inspiração para a presente investigação e reflexão.

Perder a cabeça reúne sete expressões artísticas explícitas e não explícitas do fenômeno da decapitação, relacionando-os de forma bastante detalhada e aprofundada à constituição ou não constituição do psiquismo ou construção e não construção do sujeito, seus caminhos e complexidades. Examina literatura, poesia, obras cinematográficas e uma videoinstalação, no último capítulo.

A reunião destes três autores e pensadores permitiu também escrever o primeiro capítulo que é uma reconsideração sobre o que deveria ser uma "crítica psicanalítica da obra de arte" ou "crítica estética psicanalítica". Os autores sugerem uma ênfase menor, quando necessária, da biografia dos artistas e uma maior sobre a busca incessante da significação com sua relação com o contexto histórico cultural. Destacam que a "patobiografia", por onde começou a análise de obras de arte pela psicanálise, a reduz, descontextualiza e é causa de importantes resistências à apreciação psicanalítica, incitando os psicanalistas a "fantasiar", recusando a qualquer fechamento do sentido:

> O convite a especular e a fantasiar, então, poderia ser concretizado não mais na aplicação de uma grade de leitura cristalizada, mas na externalização de uma paixão pelo sentido, na prática da curiosidade, em um exercício de interrogação que acolha sugestões, intuições e hipóteses, ainda que elas sejam fragmentárias ou provisórias. Mais do que a dissolução em alguma fórmula de poética, a cada releitura (ou visão, no caso de um filme) um texto se revela inesgotável e felizmente ambíguo. Assim, ao invés de se dissolver, ele acaba por se condensar, permitindo entrever outros caminhos do sentido. (capítulo I)

Uma pergunta que se impõe e que seria interessante endereçá-la aos autores é sobre a importância e dinâmica do contexto histórico-cultural na constituição da significação individual e do psiquismo, o que teria uma importância psicanalítica ainda maior do que a inserção do significado da expressão estética e o contexto histórico-cultural.

Esta é uma obra de profunda reflexão baseada em sólidos conhecimentos psicanalíticos e uma igualmente sólida cultura não psicanalítica de seus autores. Uma obra que acrescenta à conjetura sobre o início da vida psíquica e seus entraves, sendo do interesse de psicanalistas e daqueles voltados à expressão estética em todas as suas manifestações.

Antes de finalizar, gostaríamos agradecer ao grupo de estudos coordenado pelo colega Juarez Guedes Cruz (Alda R. D. de Oliveira, Luisa M. Rizzo, Nina Rosa Furtado, Rosane K. Poziomczyk e Tula Bisol Brum), pela indicação deste livro para coleção, bem como pela sua tradução, competentemente realizada por Patrizia Cavallo.

Desejamos a todos uma excelente leitura.

José Carlos Calich
EDITOR DA COLEÇÃO DA SOCIEDADE
PSICANALÍTICA DE PORTO ALEGRE

Kátia W. Radke
COEDITORA DA COLEÇÃO DA SOCIEDADE
PSICANALÍTICA DE PORTO ALEGRE

Tula Bisol Brum
DIRETORA DE PUBLICAÇÕES DA SOCIEDADE
PSICANALÍTICA DE PORTO ALEGRE

Nota da tradutora

Traduzir esta obra de Giuseppe Civitarese, respeitado psicanalista e escritor do panorama italiano atual, foi uma grande honra, além de representar um desafio tanto no nível linguístico quanto no terminológico-conceitual. O fato de, no passado, ter traduzido seus artigos, bem como ter sido sua intérprete em Porto Alegre, facilitou a tarefa no sentido de já "estar em uníssono" com a sua forma de escrever, com a profunda erudição e com o olhar atento sobre o mundo e a psique humana.

Entendo a noção de fidelidade em tradução com base nas concepções de Umberto Eco e de Christiane Nord, isto é, como um compromisso ético e um sentimento de lealdade que o tradutor deve a todas as partes envolvidas no processo tradutório, sendo elas, neste caso, o autor, os leitores, os revisores, a editora e, obviamente, a própria tradutora. Portanto, assim entendida, a tradução é sempre possível, e é com base nessa convicção que traduzi para o português, da maneira mais acurada possível, os termos psicanalíticos, as nuances e os jogos de palavras presentes no texto de partida. Nos casos em que isto não foi possível, devido a divergências entre os sistemas linguísticos e culturais, foram inseridas notas de tradução em rodapé (N.T.). Além disso, dentro do corpo do texto, encontram-se traduzidos, entre colchetes, títulos de obras que não possuem tradução oficial para o português, bem como títulos de filmes e elementos lexicais variados, sempre com o intuito de facilitar a experiência do leitor. No entanto, existem termos que considero reconhecíveis pelo público e que, portanto, foram deixados em língua estrangeira e em itálico. O itálico também está presente para as ênfases que o próprio Civitarese intencionalmente colocou no seu texto.

No que diz respeito às citações, o livro foi ajustado de forma a facilitar a localização das referências mencionadas pelo autor italiano: dessa maneira, o ano e o número de página indicados entre parênteses se referem sempre às obras conforme citadas por Civitarese, e que constam nas referências bibliográficas finais. Quando tais citações não estão acompanhadas por uma nota de rodapé, indicando a obra consultada em língua portuguesa, significa que a tradução foi minha (sendo este o caso de obras que não possuem tradução para o português ou que ela não tenha sido encontrada).

Por fim, devido à grande diferença entre os sistemas bibliográficos italiano e brasileiro, adaptei as referências no corpo do texto e aquelas finais a um padrão mais acessível para o público brasileiro, aproximando-o, na medida do possível, ao padrão ABNT.

Faço minhas as palavras da escritora Nancy Huston, a qual, ao referir-se à procriação/criação (também artística, fazendo a tradução certamente parte desse processo), escreve, em *Journal de la création* (2006, p. 22, tradução minha do francês): "Já não me reconheço mais, nem por dentro nem por fora. Outro corpo ocupa e modifica o meu, de forma imperceptível, mas, a longo prazo, espetacular. Ainda sou eu?".

Patrizia Cavallo
TRADUTORA

Premissa

Neste livro, abordo a decapitação na arte como aspecto figurativo da destruição da mente. Assim, definiria esta obra como um ensaio tanto de teoria quanto de crítica psicanalítica de arte. Por um lado, dirijo-me aos críticos, aos leitores e aos espectadores interessados nas chaves de interpretação que a psicanálise pode oferecer e, por outro, talvez de maneira mais especial, aos analistas curiosos para saber se os artistas podem ajudá-los a aperfeiçoar as ferramentas que usam cotidianamente no seu trabalho, isto é, se eles possuem algo para lhes dizer acerca dos conceitos de *rêverie* e de *rêverie* negativa ou a respeito da mudança enquanto transformação estética e da experiência estética como modelo daquilo que, de forma mais verdadeira e profunda, acontece na análise[1].

Mas, afinal, por que a decapitação?

Ao visitar as principais galerias de arte do mundo, fico sempre impressionado pelas heroínas que se tornam protagonistas de um ato tão cruel como é a decapitação: Dalila, Salomé, Judite, Jael... Sinto, evidentemente, que lá está

---

1 Sobre o assunto, remeto a Civitarese (2011a).

sendo travada uma das partidas fundamentais da nossa vida psicológica. Descarto a cena histórica ou mitológica que constitui a moldura da ação dramática e permanecem diante de mim somente um homem e uma mulher: conforme Bion se refere ao paciente e ao analista na sala de análise, ambos parecem dois animais ferozes e assustados. No extremo oposto, outro tema pictórico nunca deixa de atrair a minha atenção: o da assim chamada *sacra conversazione* ["sagrada conversa"], na qual uma Madona carrega no colo uma criança pequena, as duas unidas por uma troca de olhares. Com o tempo, cheguei a considerar a primeira cena como o fracasso da segunda. A primeira representa como se mata uma mente e, a segunda, como ela nasce.

No capítulo de *A interpretação dos sonhos* dedicado ao trabalho onírico e à representação por meio de símbolos, Freud relata dois sonhos de crianças, e ambos relacionam-se com a decapitação. Considero-os significativos, pois reúnem, por assim dizer, os temas da infância e da decapitação, quase sugerindo um nexo, tratando-se exatamente daquilo que tento explorar aqui. Usando os seus próprios termos, Meltzer condensou tais temas no conceito de "conflito estético", um dos mais férteis do pensamento psicanalítico, indicando a mistura de fascínio e de terror que a criança vivencia quando perscruta o rosto da mãe. Para investigar essa área temática, são também indispensáveis os conceitos de "mãe morta" de André Green (1985) e de "abjeção" de Julia Kristeva (2006c). Não por acaso, Kristeva é a responsável pelos textos do belíssimo catálogo da exibição organizada no Louvre em 1998, *Visions capitales* ["Visões capitais"] (traduzido recentemente pela Editora Donzelli, na Itália, com o título *La testa senza il corpo. Il viso e l'invisibile nell'immaginario dell'Occidente* ["A cabeça sem o corpo. O rosto e o invisível no imaginário do Ocidente"], 2009). Idealmente, este meu texto gostaria de dialogar com aquele escrito por Kristeva, embora esse último esteja baseado em outros modelos teóricos e estruturado de forma diferente.

Algo bastante interessante são os pintores que, ao escolherem os sujeitos que iam retratar, privilegiaram ambas as temáticas, como é o caso de Artemisia Gentileschi. Lembro as belíssimas *Judite* do Museu de Capodimonte, da Galleria degli Uffizi e do Palazzo Pitti, a *Madona e o Menino* da Galleria Spada, em Roma, e a *Virgem e criança com rosário* exibida no Mosteiro de Escorial. Algumas telas com o mesmo conteúdo são justamente renomadas: para citar duas entre todas, a *Judite* e a *Salomé* pintadas por Caravaggio. Entre os contemporâneos que trataram o tópico, causa impressão Marlene Dumas, artista sul-africana cujas obras tive a oportunidade de conhecer em uma edição da feira *Artissima*, em Turim, alguns anos atrás. Contudo, o tema da decapitação não se encontra apenas na pintura, mas também na literatura, no cinema e na videoarte.

No primeiro capítulo, escrito com Sara Boffito e Francesco Capello, tentamos fazer um balanço a respeito da crítica estética psicanalítica. Acreditamos que ela seja legítima, aliás imprescindível, e que não esteja somente limitada à lição lacaniana, hoje em dia provavelmente a mais difundida entre os departamentos de ciências humanas. Freud introduziu conceitos de extraordinária riqueza no estudo da arte — pensemos no ensaio sobre o estranho —, mas é necessário utilizar algum guia mais atualizado: no meu e no nosso caso, Bion e as teorias pós-bionianas. Todos os ensaios estão inspirados por uma paixão para o sentido que se inspira no gênio de Freud e dos analistas mais criativos que vieram depois dele, mas, conforme alerta Derrida, a única e verdadeira fidelidade aos mestres é a infidelidade criativa, isto é, a fidelidade ao espírito, à coragem e ao método, e não à letra dos seus ensinamentos.

No segundo capítulo, que idealizo como uma continuação "no campo" do primeiro, faço uma releitura da *Lisabetta* de Boccaccio (a quinta novela da quarta jornada do *Decamerão*). Escolhi esse belíssimo texto clássico para recolocar à prova a crítica freudiana decorridos vinte anos desde a publicação de *Il testo moltiplicato* ["O texto multiplicado"], o precioso livreto organizado por Mario Lavagetto e que acolhe as contribuições de Mario Baratto, Alessandro Serpieri, Alberto M. Cirese, Giovanni Nencioni e Cesare Segre, todos dedicados a essa novela. Por ocasião da sua publicação em 1982, o que mais gostei no livro foi exatamente a sua abordagem interdisciplinar à crítica estética. O esforço conjunto de vários leitores sobre o mesmo texto pode ser considerado como a tentativa de revelar o fascínio incrível que dele exala. No meu capítulo, tento abordar esse poder de encantamento. Em especial, detenho-me na cena central da novela, quando Lisabetta desenterra o corpo do amante, Lourenço, e corta a sua cabeça para colocá-la, a seguir, em um vaso de manjericão. Para resumir o sentido da experiência estética vivenciada pela imersão nessa cena impregnada de onirismo, seria oportuno parafrasear um verso de Rilke: a beleza não é senão o horror que conseguimos pensar.

O capítulo seguinte, escrito em conjunto com Francesco Capello, enfoca a relação entre a ideia de feminilidade e a de agressividade (tanto estilística quanto temática) nos trabalhos do início de 1900 de Corrado Govoni, desde os sonetos erótico-simbolistas presentes em *Le fiale* ["As ampolas"] (1903) até a fúria futurista de *L'inaugurazione della primavera* ["A inauguração da primavera"] (1915). Empregando alguns conceitos pós-kleinianos, analisamos as práticas de discurso e as estratégias narrativas e retóricas que intervêm na representação do gênero, do sexo e da violência, esboçando a sua "gramática afetiva". Na parte inicial do capítulo, ilustramos o quadro metodológico geral do trabalho e contextualizamos a primeira produção poética de Govoni. Na segunda parte, prosseguimos com a leitura detalhada de uma amostra relevante do seu trabalho, a seção de *Le fiale* intitulada *Vas luxuriae*. Em ambos os segmentos do capítulo, o nosso objetivo foi mostrar como o deslocamento do poeta desde os tropos culturais do decadentismo até aqueles do nacionalismo vanguardista encontrou um impulso afetivo essencial em algo que, na linguagem de Bion, podemos definir como o fracasso da capacidade de continência psíquica e de elaboração do luto.

Seguem quatro ensaios sobre cinema: *Caçador de pesadelos,* de Shinya Tsukamoto; *Persona,* de Ingmar Bergman; *Caché,* de Michael Haneke; *O criado*, de Joseph Losey.

Em *Caché*, o filme abordado no sexto capítulo do livro, a decapitação não apenas é metafórica, mas também real. Quem a realiza é a mão de um suicida, Majid, um imigrante magrebino adotado por uma família francesa após a morte trágica dos pais, e que acaba sendo expulso de casa, ainda criança, por causa do ciúme do seu meio-irmão, George. Na realidade, é como se, a partir do gesto extremo então realizado, ele criasse uma metáfora cruel e concreta para mostrar ao irmão o que ele lhe fizera e, ao mesmo tempo, para se vingar, ferindo-o também moralmente. Contudo, na vertiginosa complexidade dos vários planos expressivos, Majid é, para George, também o próprio sósia, o companheiro secreto decapitado ou a parte oculta e sangrenta, pois não é amada pela mãe.

Nos filmes que examino nos outros três capítulos, ao contrário, a decapitação nunca é representada de forma concreta. Em *Persona*, provavelmente a obra mais enigmática e rica de Bergman, ela pode ser vista, à contraluz, em uma meditação abrangente acerca do significado da representação, ou também encarada a partir da perspectiva de como alguém pode perder a cabeça, no sentido de adentrar na loucura, até a maneira como é possível sair dela; a partir de como se formam (ou não conseguem se formar) as primeiras imagens da mente e de como elas podem ser destruídas até chegar ao significado daquelas que se fazem presentes nas mídias e, em especial, no próprio cinema.

Mais pessimista, *O criado*, de Joseph Losey, conta a história da degradação moral de um inglês proprietário de uma casa, revelando os desenvolvimentos da relação cada vez mais perversa que o conecta ao seu criado e às respectivas noivas/

amantes. Quatro atores, duas mulheres e dois homens, engajam-se em uma dança cruel para obter o reconhecimento do outro. Na minha leitura, sirvo-me principalmente do conceito lacaniano de estádio do espelho a partir do uso virtuosístico que, no filme, o diretor faz dos espelhos como metáfora do processo intersubjetivo de construção ou de destruição do sujeito. O espelho quebrado, tão recorrente no cinema naqueles momentos-chave em que o protagonista está por afundar na abjeção, pode ser considerado, de fato, outra figura do corpo sem cabeça ou da ausência de morada psicológica.

No quarto capítulo, relaciono a temática de como nos tornamos humanos e de como nos desumanizamos ao imaginário pós- ou trans-humano de um sujeito em que ganha cada vez mais espaço a hibridação com a tecnologia e, com ela, o projeto de autogeração. Em *Caçador de pesadelos*, um filme de terror detetivesco realizado por um extraordinário diretor japonês, Shinya Tsukamoto, a morte chega através do celular quando algumas pessoas entram em contato, pela internet, com uma espécie de demônio chamado Zero, o qual lhes propõe um suicídio coletivo. No filme, o celular, dispositivo tecnológico já inseparável e familiar, também prótese acústica e olho eletrônico, fica cada vez mais inquietante, um pressentimento de morte, exatamente porque transforma todos em ciborgues virtuais ou homens-máquina. Nunca tanto quanto agora a tecnologia tem invadido o corpo e a mente. A velocidade vertiginosa desse processo poderia desmentir a definição que Dostoiévski oferece sobre o homem, isto é, um ser cuja característica principal é a adaptação[2]. De forma insensível, sem nos darmos conta, as fronteiras da identidade humana estão sendo redefinidas, e, por conseguinte, é preciso descrever novamente de que maneira acontece a construção da psique.

O último capítulo, escrito em conjunto com Sara Boffito, está dedicado à extraordinária videoinstalação intitulada

---

[2] "O homem é o ser que se acostuma com tudo, e acredito que essa seja a sua melhor definição" (DOSTOIÉVSKI, 2007, p. 18).

The last riot ["O último motim"], que o coletivo AES+F (acrônimo formado a partir das iniciais dos nomes de quatro artistas russos: Tatiana Arzamasova, Lev Evzovich, Evgeny Svyatsky e Vladimir Fridkes) apresentou em 2007 por ocasião da 52ª Bienal de Veneza. Nessa obra, a destruição da mente é esteticizada nos rituais hipnóticos e perversos de violência praticados por belíssimos adolescentes. Eles parecem ser os últimos representantes de uma humanidade que venceu a dor e a morte, tendo alcançado seu esplendor máximo, pois já é capaz de se autogerar, mas que, também por isso, em virtude da ausência da história, está destinada a sucumbir. Assim, também *The last riot*, ao encenar um universo sem pais e sem ética, centra-se na maneira através da qual nos tornamos humanos, mostrando o trabalho inverso, ou seja, como também nos desumanizamos.

É como se a utopia de um mundo cibertecnológico, assim como foi representada nas mídias visuais, não pudesse senão trazer consigo o trauma da mutilação psíquica. Esses artistas expressam a intuição de que, se um dia viesse a existir, o mundo pós- ou trans-humano seria profundamente infeliz, pois estaria habitado somente por homens-robô. O mundo seria privado daquilo que é mais humano, da capacidade de sonhar a experiência, isto é, de atribuir-lhe um significado pessoal. É uma capacidade que se adquire autenticamente na prolongada relação de cuidado que conecta a criança aos pais, desde o nascimento até a idade adulta, sobretudo na *sacra conversazione* que se desenvolve incessantemente entre os olhares carinhosos, mas também carregados de ódio, trocados entre a mãe e a criança. A ambiguidade paradoxal de *The last riot* é que, ao passo que nos inunda de beleza, também representa um mundo completamente esvaziado dela, pois a experiência estética está enraizada na consciência da morte e da transitoriedade de todas as coisas.

CAPÍTULO I

Para uma (nova) crítica psicanalítica

Giuseppe Civitarese, Sara Boffito
e Francesco Capello

1 Patobiografias

Enquanto teoria do funcionamento psíquico, a psicanálise é, ainda hoje, inigualável. Portanto, é óbvio que ela também pode representar uma ferramenta para nos aproximarmos ao significado da arte e da experiência estética. Contudo, existe uma dificuldade histórica do discurso psicanalítico, que se situa no nível formal e cujo significado não deve ser entendido como anesté(s/t)ico[1] (ou, na ótica kleiniana, como reparação), mas como lugar específico da economia da produção artística, conforme assinala Barale (2008)[2].

---

1 N.T.: O adjetivo italiano empregado pelos autores, *anestetico*, se refere tanto ao adjetivo "anestético" em português (no sentido de concepção crítica da arte que não sabe dar conta da forma estética) quanto a "anestésico" (entendido como arte enquanto sublimação que anestesia conflitos psíquicos). Por isso, decidi deixar "(s/t)" para assinalar as duas opções.

2 Cf. Barale (2008, p. 129-147): "A concepção freudiana da 'forma' estética é, fundamentalmente, uma concepção 'anesté(s/t)ica'. Freud atribui à forma artística uma tarefa quase hipnótica, parecida com o sono que, ao mitigar a censura, concede ao sonho a tarefa de tornar toleráveis os 'conteúdos' do inconsciente, outorgando-nos um caminho de acesso a eles [...] Aquela configuração, por si só, descarta uma camada importante do objeto estético [...] A dimensão 'constitutiva' da dimensão representacional, renovada pelo ato de produção estética, é excluída". Daqui nasce a dificuldade da psicanálise de ler a arte contemporânea e, sobretudo, a música, uma linguagem estruturada, mas

Dessa dificuldade nasce a acusação de reducionismo, que, com o decorrer do tempo, tornou-se quase um clichê, aquele constrangimento que Brooks (1994) confessa experimentar diante das leituras freudianas de textos de narrativa, pois frequentemente elas se limitam a colocar o autor ou as suas personagens no divã.

Se, por um lado, o ponto de vista freudiano é legítimo, por outro ele aparece bastante discutível quando tende a reduzir o texto à investigação dos presumidos planos ou das neuroses do autor, em um procedimento denunciado como *falácia intencional* (WIMSATT; BEARDSLEY, 1946). Ao escrever sobre Kleist, Benedetto Croce já lamentava o hábito desagradável de "ir despedaçando as obras literárias, reconduzindo-as aos ingredientes biográficos dos au-

---

assemântica, "menos de todas adequada à função 'anesté(s/t)ica' que Freud atribuía à forma 'estética'". É verdade que precisaríamos "ser justos" com o Freud teórico do *Witz* e, portanto, atento ao jogo do significante linguístico (FREUD, 1981, vol. V-a). Aliás, a esse propósito, vale a pena observar que, em sintonia com as fases alternadas das suas reflexões sobre a dialética entre o racionalismo cientificista e as emoções em psicanálise (Capello, 2009b, p. 5), o Freud que realiza reflexões sobre a arte não é absolutamente "de mão única". Um caso esclarecedor é aquele do breve ensaio sobre o *Moisés* de Michelangelo. Nesse texto, que em nível explícito se apresenta duplamente ligado ao "paradigma indiciário", Freud proclama, no início, a supremacia do interesse pelos conteúdos sobre o aspecto formal e declara (reivindica) duas vezes a própria "incompetência" quando o assunto for a estética, ligando-a, de forma indireta, à conduta mental racionalista que considera natural assumir diante das obras de arte. Além disso, de forma significativa, tanto na primeira quanto na última página do ensaio, Freud destaca com relativa ênfase a própria relutância em atribuir à arte um caráter de ontológica e irredutível enigmaticidade e indeterminação. De acordo com ele, por meio da análise de indícios mínimos e da interpretação "cirúrgica" da obra, deveríamos adquirir a capacidade de identificar a oculta e unívoca *intenção* fundante. Contudo, uma leitura profunda e atenta mais à pragmática do que ao conteúdo do discurso de Freud permite identificar uma série de contrapontos implícitos e "subversivos" em relação a essa posição. De fato, naquele texto peculiar, que abandona temporariamente a abordagem psicobiográfica típica do Freud daqueles anos, abundam os elementos que convidam a uma leitura retrospectivamente alegórica, centrada na "questão estética" e nas vicissitudes emocionais próprias do processo criativo: desde a progressiva abertura para a plurivocalidade da obra de arte e das suas relativas interpretações até a atenção efetivamente conferida aos aspectos formais, à persistência sutil das temáticas da fé e da paciência (em chave bioniana: a capacidade negativa do *Man of Achievement*, central tanto na arte quanto na psicanálise) e à continência das emoções.

tores e apresentando-as como se tivessem sido sugeridas por esses ou por aqueles sentimentos realmente experimentados e por intenções e propósitos não menos reais" (CROCE, 1964, p. 47).

Certamente, conhecer os eventos que, por várias razões, seriam significativos na biografia de um autor, pode fornecer, nas palavras de Mario Lavagetto, "sugestões" preciosas para a compreensão das suas obras[3] — de forma parecida, Gianfranco Contini falava de "indicações úteis" a propósito do tom de voz com o qual um poeta (no caso específico, Eugenio Montale) lê os próprios versos[4]. Mas, nos dois casos, trata-se de elementos adicionais que, mesmo quando parcialmente revelatórios, não são decisivos para a compreensão de uma obra, eis que esta, de maneira inevitável, possui (também) uma existência autônoma.

É possível perguntarmos, ainda, qual papel é desempenhado pela História, não somente na determinação

---

[3] "Considero que não existe nada de criminoso em interrogar a biografia de um autor e servir-se das sugestões que dela possam surgir [...] Não é improvável que, ao conhecer a vida de um determinado autor, possa resultar, agindo com discrição e cuidado, alguma utilidade para a inteligência das suas obras. O próprio Proust [...] afirmava que a vida de um autor constitui o alfabeto através do qual a sua própria obra está construída. O problema ocorre quando alguém (Gioanola ou outros críticos) encontra, ou pensa encontrar, na biografia, uma ferramenta de explicação. Nesse caso, posso expressar a minha posição com as palavras de Walter Benjamin: não acredito que, em nenhum caso, as obras sejam 'deduzíveis pela biografia'. É preciso começar a partir deste ponto, evitando, em qualquer caso, transformar a vida dos autores em um *passe-partout* hermenêutico por meio do qual nos introduzimos no interior dos seus livros" (LAVAGETTO, 2005, p. 170). Como corolário dessas observações de Lavagetto, vale a pena acrescentar que a passagem de uma concepção monádica da subjetividade a um modelo de sujeito-grupo — talvez seja esse o sentido mais profundo da revolução copernicana inaugurada por Bion no interior da psicanálise — traz a necessidade de redimensionar, na crítica literária, o antagonismo entre a visão de Sainte-Beuve e a de Proust. De fato, tanto para a personalidade do autor quanto para o "campo literário" ou cultural, não é possível reivindicar qualquer "autonomia ontológica". Trata-se, ao contrário, de reconhecer as diversas formas de interações entre esses enquadramentos, de forma não diferente daquela com a qual Käes identifica a sobreposição de diversas estruturas continentes na vida do sujeito (desde a mente da mãe, em nível mais "biográfico", até a cultura e as instituições de um específico período histórico).

[4] Cf. Contini (1989).

progressiva do julgamento estético, mas no projeto mais amplo de transformar a psicanálise em uma ferramenta válida para a história literária, além de um "reagente" meta-histórico crítico.

Com respeito à segunda interrogação, foram inspiradas algumas das críticas mais fundamentadas e melhor articuladas com a abordagem freudiana à arte, entre as quais merece destaque aquela desenvolvida nas páginas finais do clássico dos Wittkower, *Nati sotto Saturno* ["Nascidos sob Saturno"] (2005). A leitura realizada pelos dois estudiosos acerca do ensaio de Freud sobre Leonardo e aquela, talvez ainda mais impiedosa, que é feita sobre o trabalho de Ernest Jones relacionado a Andrea del Sarto, detectam resumidamente dois "pontos fracos fundamentais [...]: leitura e interpretação quimérica dos dados biográficos e artísticos, e negligência da informação histórica à disposição dos estudiosos" (WITTKOWER, M.; WITTKOWER, R., 2005, p. 316). Com respeito à centralidade e "recidividade" desse problema, realçamos o seguinte trecho de Phillips (2000, p. 5), que o reapresenta de forma substancialmente idêntica após quarenta anos: "Na espinhosa relação que a profissão psicanalítica sempre teve com a poética, é incrível a quantidade de vezes em que, se a poesia for evocada — quase sempre para comemorá-la —, ela é evocada a-historicamente".

Na realidade, a a-historicidade e a "disposição comemorativa" estão estritamente ligadas entre elas e, mesmo que um verdadeiro e próprio "cânone poético dos psicanalistas" não existisse, conforme sustenta Phillips (2000) de forma provocatória, com certeza é verdadeiro que, nos estudos sobre literatura realizados por analistas, a atenção é dirigida de maneira mais frequente para a "função artística universal" dos textos do que para a sua especificidade histórica. Trata-se, é preciso destacar, de uma perspectiva em nada estranha também à crítica literária "pura" do século XXI, conforme emerge, por exemplo, das considerações recentes de Robert Pogue Harrison, eminente italianista da Stanford

University, a propósito da "melhor" (*greatest*: "mais bem-sucedida"?) poesia de Leopardi:

> Ele liberta a potência latente da palavra para que possa ressoar na profundidade do tempo histórico assim como daquele existencial e, assim fazendo, liberta o tempo da tirania da cronologia [...] Na sua atemporalidade, as suas poesias restituem a densidade e a viscosidade do elemento temporal no qual todos estamos à deriva, mas cujas profundezas, não importa quanto formos a fundo, sempre permanecerão imperscrutáveis (HARRISON, 2011, p. 37)[5].

Propõe-se aqui, em completo destaque, um problema de equilíbrio dialético (e de negociação contínua) entre o horizonte da especificidade histórica, aquele da forma artística e das suas estruturas e, por último, o da contínua ressemantização retrospectiva à qual a história e a análise formal, não menos do que qualquer outro ato interpretativo, estão inevitavelmente sujeitas. Charles Rosen expressa de maneira eficaz o mesmo conceito, sublinhando a complementariedade natural de diferentes abordagens à música:

> Sempre insisti na importância dos estudos de recepção (e da contextualização), fazendo a simples observação de que, de vez em quando, com certeza eles não podem substituir completamente aquilo que compreendemos ao escutar a música, e que também não substituem a análise do trabalho interno, da individualidade e da eficácia de uma música (ROSEN, 2011, p. 42).

Psicanálise e História podem colaborar, de forma frutífera, para o estudo da arte e da literatura ao se tornarem os

---

5 Vale a pena assinalar, nesta ótima resenha, que a reivindicação de uma atemporalidade universal da mais sublime poesia de Leopardi não é realizada negligenciando o contexto sociocultural (nem o biográfico) dentro do qual ela amadureceu.

eixos cartesianos que, a partir do objeto artístico, identificam respectivamente: *x*, constituído pelas "narrações" e pelas funções que representam uma constante estrutural da subjetividade e das suas relações com a alteridade — em outras palavras, das formas (quase) a priori do funcionamento mental —, e *y*, representando os elementos de descontinuidade e de unicidade derivados do fato de que o objeto artístico individual está enraizado em um húmus histórico-cultural preciso e não substituível — isto é, a declinação cultural e historicamente determinada das constantes identificadas pelo eixo das abscissas[6].

Percebe-se, assim, que a crítica freudiana mais tradicional convence pouco, sobretudo quando atua com base nos mesmos pressupostos que se tornaram desatualizados na teorização e na prática do tratamento. A essa inatualidade é com frequência atribuído o nome de "crise da psicanálise". Contudo, não seria possível captar o seu sentido se não fosse reconduzida a uma crise filosófica e cultural mais ampla, o assim chamado fim das "grandes narrações" (LYOTARD, 2002), que, como se sabe, tornou igualmente obsoletas outras abordagens críticas externas ao campo freudiano (também é útil relembrar que a própria psicanálise deu um impulso decisivo para a instauração desse clima, minando as bases da concepção do sujeito que são próprias da filosofia e da psicologia clássicas).

Por exemplo, para Meltzer, o analista que interpreta um sonho encontra-se na posição de ser o crítico de teatro — então, ele está mais na plateia — deste drama (na realidade, aquilo a que ele assiste é a encenação do texto-relato verbal do sonho) (MELTZER, 1989). É um crítico atento aos momentos esteticamente mais bem-sucedidos da performance e, por isso, mais verdadeiros. Em especial, ele sabe que a

---

6   Mais uma vez, os Wittkower têm razão ao destacar que "é preciso um conhecimento da atmosfera que eles [os artistas] respiraram, dos conhecimentos e das opiniões, do pensamento filosófico e das convenções literárias difundidas em um determinado período" (WITTKOWER, M.; WITTKOWER, R., 2005, p. 320).

interpretação-decodificação de um sonho, assim como a de uma obra de arte qualquer, não enriquece o sonho, mas, ao contrário, corre o risco de empobrecê-lo.

O próprio conceito de interpretação está em discussão, pedindo-se que ele assuma cada vez mais uma configuração fraca, aberta e autorreflexiva, isto é, que seja capaz de defender, no plano epistemológico, a consciência do próprio estatuto incerto. Em um ensaio sobre a relação entre poesia e psicanálise, de forma brilhante, Adam Phillips resume esse conceito, afirmando que "a poesia do paciente chamada de 'associação livre' deve ser traduzida para uma determinada forma por uma poesia melhor, realizada pelo analista, chamada de 'interpretação'" (PHILLIPS, 2000, p. 26). Em idêntica linha de pensamento, e com base em Lacan, o mesmo processo da análise é comparado, por Phillips, a um desestabilizador "deslocamento da pontuação" na narração do paciente. Dentro desta moldura teórica, torna-se ainda mais importante acompanhar, *lato sensu*, a sugestão freudiana do "fantasiar metapsicológico": "Sem especulação e teorização metapsicológica — quase disse 'fantasiar' —, não daremos outro passo à frente" (FREUD, 1981, vol. XI, p. 508)[7].

O convite a especular e a fantasiar, então, poderia ser concretizado não mais na aplicação de uma grade de leitura cristalizada, mas na externalização de uma paixão pelo sentido, na prática da curiosidade, em um exercício de interrogação que acolha sugestões, intuições e hipóteses, ainda que elas sejam fragmentárias ou provisórias. Mais do que a dissolução em alguma fórmula de poética, a cada releitura (ou visão, no caso de um filme) um texto se revela inesgotável e felizmente ambíguo[8]. Assim, em vez de se

---

[7] N.T.: FREUD, S. Análise terminável e interminável. *In*: FREUD, S. *Edição standard das obras psicológicas completas de Sigmund Freud.* Vol. 11. Tradução sob a direção de Jayme Salomão. Rio de Janeiro: Imago, 1975, p. 257.

[8] Não é diferente para a psicanálise, em relação a cujo estatuto de disciplina a ânsia por definições pode conduzir à saturação infértil dos significados. Adam Phillips observa a esse propósito: "O ponto, mais do que o problema,

dissolver, ele acaba por se condensar, permitindo entrever outros caminhos do sentido. O jogo da interpretação, se for entendido dessa forma, nunca tem fim: no próprio ato de dar conta desta complexidade, a escuta que a prática analítica ensina não faz nada senão aumentá-la. Resta uma opção que, para a nossa sensibilidade "pós-moderna", parece ser aquela mais praticável: prestar mais atenção aos aspectos retórico-formais do texto; recusar qualquer fechamento interpretativo, sem esquecer, também, que existem "leituras justas e leituras erradas" (ORLANDO, 2008, p. XI); aceitar a possibilidade de contínuas inversões de perspectiva nas quais também a arte e a crítica estética, através de um jogo de espelhamento recíproco, podem iluminar aspectos do processo analítico e ressaltar as figuras da sua teoria e o seu próprio caráter de narrativa ou de mito.

Além disso, certa contaminação com algumas das ferramentas empregadas nos outros âmbitos científicos parece útil. Alessandro Serpieri resume bem essa tarefa na sua concepção de uma crítica psicanalítica enquanto "percepção raciocinada de uma espessura de sentido manifesto-latente na semiose textual [que seja confiada] a ferramentas de investigação estilística e retórica elaboradas também, mas não somente, pela psicanálise" (SERPIERI, 1982, p. 49), ou seja, de uma crítica que se consagre à exploração das elipses, das sobredeterminações ou dos resíduos que tornam o discurso narrativo lacunar, opaco, incompreensível. A interpretação psicanalítica, solicitada pelos indícios de uma textualidade oculta, não se propõe, assim, como um procedimento cognoscitivo que conduz a resultados exaustivos e estáticos, mas como uma forma de diálogo, interesse e — por que não? — suspeita, esta última determinada em termos históricos.

é exatamente o estatuto incerto da psicanálise [...] Cada vez que a psicanálise se desequilibra de um lado ou do outro — aspirando a se tornar uma ciência rigorosa ou uma arte —, ela perde o seu lugar como disciplina em relação ao qual a questão poderia permanecer frutuosamente suspensa" (PHILLIPS, 2000, p. 2).

Isso dito, obtemos mais prazer da leitura de Sainte-Beuve (2011) e dos seus geniais perfis biográficos ou da leitura da obra de um estruturalista qualquer? Ou, ao contrário, seria melhor De Man ou algum crítico pertencente à "Feira literária"? Por acaso, não será relevante quem e como utiliza certo método mais do que a natureza do método em questão? Qualquer tipo de crítica, freudiana ou não, neste sentido é redutiva, ou seja, reconduz às suas próprias categorias algo que, por si só, é inefável. O problema da validade da interpretação se apresenta nos mesmos termos na psicanálise, na crítica estética ou literária, na filosofia, na ciência. Em última instância, a decisão sobre quais são as opções válidas ou não de leitura de um texto/da realidade é uma questão de práticas compartilhadas e de estratégias comuns de deliberação. É a comunidade científica que determina em qual medida a chave para verificar a legitimidade das hipóteses é fornecida pela estrutura interna da obra ou da história[9].

2 A psicanálise como sonda

Em termos bionianos, a psicanálise se torna a sonda que expande a área investigada, e, de forma inversa, ela própria, nascida como retórica da linguagem onírica e concebida por alguns como uma hermenêutica ou como uma narratologia ou, ainda, como um "aparelho mitopoiético", não pode abster-se de trazer à luz os fragmentos de ideologia (o logocentrismo rastejante denunciado por Derrida [1971], o deus leigo escondido nas suas próprias dobras) implícitos nas suas próprias narrações, além de tentar desconstruí-los usando, também, as ferramentas da teoria crítica.

---

9   Cf. Orlando (2008, p. X-XI): "O crítico, ou melhor, o historiador literário. Outro postulado *crociano* relativamente ao qual Praz é obrigado a sacudir o efeito paralisador [...] é a universalidade ou 'eterna contemporaneidade' da obra de arte. Aquele postulado, para ele, corre o risco de apoiar 'interpretações arbitrárias e fantásticas', assim como existe o risco de que termos como barroco, romântico ou decadente sejam empregados em sentido generalizante ou meta-histórico. Por outro lado, em sentido periodizante, fórmulas parecidas têm exatamente o mérito de assinalar, para a interpretação, os limites 'além dos quais se trata de arbítrio, de anacronismo'".

O problema abrange toda a crítica de arte. Implicitamente, é como se, com *Pierre Menard, autor do Quixote,* a história do escritor que reescreve, ponto por ponto e vírgula por vírgula, um capítulo da obra-prima de Cervantes, Borges estabelecesse, de uma vez por todas, que a crítica de uma obra praticamente não existe, ou melhor, que, em sentido estrito, a única exegese que a poesia tolera é a tautologia (BORGES, 1955). Trata-se da mesma tese que, no âmbito psicanalítico, foi apropriada por Meltzer, segundo o qual os sonhos não devem ser explicados, mas interpretados com outros sonhos, com outras formas simbólicas. Por mais útil que seja para a compreensão de um texto, por exemplo, de um soneto de Shakespeare, a crítica nunca poderá elevar-se ao seu nível, isto é, produzir as mesmas emoções, exceto em casos raros, quando os críticos se chamam Roland Barthes, Roberto Longhi, Gianfranco Contini, Erich Auerbach, Leo Spitzer, entre outros.

O fato é que não existem teorias críticas ou perspectivas metodológicas capazes de solucionar o enigma da arte. Uma experiência estética e, por isso mesmo, eminentemente emocional, nunca poderá ser explicada apenas baseada em princípios racionais. Sempre será um resíduo irredutível a qualquer compreensão intelectual. Neste caso, todo e qualquer tipo de crítica, freudiana ou não, é redutiva, ou seja, reconduz às suas próprias categorias algo que, por si só, não pode ser captado, pois é da ordem do ritmo do texto, da dimensão canto-e-dança da linguagem, do corpo do significante e não apenas do significado (isto se considerarmos que uma distinção parecida possa fazer sentido). De forma semelhante, quem deposita confiança excessiva na autonomia do texto, considerado como um "objeto natural", está exposto à crítica de reducionismo, assim como quem, ao analisar um texto, arrisca a estaticidade e a hiperformalização do método estruturalista.

É por essa razão que a crítica deve contentar-se em trabalhar nos sistemas de competências e nas pressuposições implícitas que orientam a compreensão, no *con*-texto que é o mundo (inclusive livrarias e praxes interpretativas), no *por fora* do teatro ou nas margens da página. Qualquer obra faz sentido pois evoca o além da vida. Sem a "enciclopédia" (ECO, 1962) do mundo, a arte não teria nenhum sentido. Contudo, a ficção da narrativa (mas, poderíamos acrescentar, do sonho) é o verdadeiro medidor de qualquer verdade: "A função epistemológica dos enunciados ficcionais é que eles podem ser usados como o azul de tornassol para indicar a irrefutabilidade de qualquer outro enunciado. Trata-se do único critério que temos para estabelecer o que é a verdade" (ECO, 2009, p. 43).

3 Verdade de ficção

Em uma perspectiva pós-bioniana, poderia se dizer que um dos objetivos da psicanálise é fornecer uma ficção adequada para dizer o que é a verdade. É o sugerido por James Grotstein, através da sua releitura daquilo que chamamos de falsidade e mentira. Como contraponto aos conceitos de "negação" e de "falsificação", ele aproxima a ideia de "ficcionalização" (*fictionalization*), uma operação necessária e fundamental para o indivíduo e também para "o 'pensador verdadeiro' (em contraposição ao mentiroso que pensa), o qual deve buscar a verdade, embora em vão, sendo capaz de aproximá-la apenas de forma oblíqua ou tangencial devido ao 'olhar cegante' da verdade" (GROTSTEIN, 2010, p. 165)[10]. Trata-se de uma falsificação "benévola" que governa o trabalho do sonho, relembrando que, para Grotstein, e para Bion, "todas as percepções e as outras transformações mentais constituem o sonhar" (GROTSTEIN, 2010, p. 298). Também a mentira intencional seria uma metáfora do inconsciente, uma maneira de revelar a realidade. Grotstein ironiza: "Para falar a verdade, eu não posso tolerar a verdade, a não ser através do filtro ou da lente de uma mentira!" (GROTSTEIN, 2010, p. 166).

---

10 A problematização do conceito de mentira e falsidade leva Grotstein a inserir o sonho na segunda coluna da grade, geralmente dedicada aos enunciados falsos.

Mario Vargas Llosa empregou palavras sugestivamente parecidas ao receber o Prêmio Nobel de Literatura: "As mentiras da literatura se tornam realidade através de nós, leitores transformados, contaminados de desejos e, devido à ficção, em perene disputa com a mediocridade da realidade" (VARGAS LLOSA, 2011, p. 33)[11].

Assim, a figura que está se delineando é de um analista-crítico que não presuma saber aquilo que o inconsciente do texto esconde — fazendo surgir tal convicção pessoal a partir da história do autor ou das personagens —, mas que fique aberto para a multiplicação infinita das leituras possíveis ou das "falsificações benévolas", e que renuncie à busca de uma interpretação "verdadeira". Espera-se, assim, alguém que se aproxime da obra com mais liberdade, mas também de forma afetiva e emocional, mais permeável às "emoções do texto", como acontece com o paciente, e que esteja mais atento em relação ao surgimento de um "fato selecionado" do que à "construção" de uma teoria interpretativa coerente.

É possível, então, concordar com João A. Frayze-Pereira, o qual entende a relação entre psicanálise e arte como uma justa "dedicação", isto é, um compromisso (*commitment*) da psicanálise em ocupar-se da matéria artística, ou seja, uma obrigação que não deriva da aplicação correta da teoria psicanalítica à arte, mas "de uma condição especificamente intrínseca da psicanálise: os fenômenos da transferência [...] É a transferência aquilo que confere à psicanálise uma perspectiva legítima acerca da dimensão estética da experiência humana" (FRAYZE-PEREIRA, 2007, p. 490).

Trata-se da transferência vista em uma acepção ampliada, isto é, enquanto envolvimento afetivo e emocional que acompanha cada experiência, ou como "sonho" das emoções presentes em um momento específico no campo emocional[12], que começa a ocupar-se de arte pelo vértice psicanalítico, nada mais distante da intelectualização ou

---

11 Cf. também Riffaterre (1990).
12 Cf. *Differenza (una certa) identità transfert* (CIVITARESE, 2008).

da aplicação rígida da teoria psicanalítica. Aliás, o próprio Freud, respondendo a um questionário sobre a literatura dos "bons" livros, em vez de recomendar as grandes obras literárias ou os livros mais importantes, decidiu fazer uma escolha afetiva, transferencial: indicou aqueles "livros com os quais nos relacionamos como bons amigos, aos quais devemos algo de nosso conhecimento da vida e concepção do mundo, livros que nos deram prazer e que gostamos de recomendar a outras pessoas" (FREUD, 1981, vol. V-b, p. 367)[13].

4 D-reading ensemble

Se com Ogden podemos dizer que a arte da psicanálise consiste em sonhar junto com o paciente aqueles sonhos que ele não pôde sonhar e que, quando isto acontece na sessão, a atividade da dupla analítica pode ser definida como um "sonho-a-dois" (*dreaming ensemble*)[14], ou seja, um sonhar compartilhado que expande o espectro do onírico como nunca acontecera antes, então o sonhar da leitura (e, naturalmente, aquele de uma crítica literária orientada em sentido psicanalítico) não pode ter uma finalidade exegética, pois o objetivo não é mais revelar o sentido latente, mas expandi-lo. Assim, ao *dreaming ensemble* (ou seria melhor dizer *d-reading ensemble*: condensação de ler/*read*, sonhar/*dream* e de terror/*dread*, aquilo que evoca o "começo do terror" de Rilke)[15], pertencem todos os aspectos do onírico presentes na mente do leitor, continuamente enriquecidos pela experiência de leitura do texto, o sonho do autor[16]. A descrição da interação mãe-criança que nos é oferecida por

---

13 N.T.: FREUD, S. Resposta a uma enquete sobre leitura e bons livros. *In*: FREUD, S. *Obras completas*. Vol. 8. *O delírio e os sonhos na* Gradiva, *análise da fobia de um garoto de cinco anos e outros textos* (1906-1909). Tradução Paulo César de Souza. São Paulo: Companhia das Letras, 2015, p. 427.
14 Cf. Grotstein (2010); Ferro (2010).
15 Cf. Rilke (1978, p. 3): "Porque a beleza nada mais é do que o começo do terror que ainda conseguimos suportar". Cf. também Civitarese (*Conflitto estetico e funzione* α [2011a]).
16 Para um relato mais detalhado das analogias e das diferenças entre psicanálise e narratologia, consultar o trabalho de Ferro (2006).

Grotstein poderia ser considerada como modelo da *obra aberta* e como modelo do leitor enquanto autor do texto:

> O analista, como faz a mãe pelo seu bebê, absorve a dor do paciente "vindo a ser" o analisando/bebê (isto é, "vindo a ser" o estado emocional da mente deste último) e permitindo-lhe tornar-se parte dele. Na sua *rêverie*, ele convoca do próprio inconsciente o seu repertório de experiências pessoais, de modo que algumas delas sejam talvez simétricas — ou de acordo com — às projeções ainda insondáveis do analisando (elementos β, O). Ao final, o analista enxerga (sente) um padrão no material, cuja experiência é chamada de "fato selecionado", isto é, o padrão se torna o fato selecionado, fazendo com que o analista possa interpretar a configuração intuída (criar uma conjunção permanente e constante dos elementos apresentados, ou seja, atribuir-lhes um nome que os ligue) (GROTSTEIN, 2010, p. 57).

Não são diferentes os pressupostos de Walker Shields, o qual apresenta a sua experiência com grupos de leitura de textos literários a partir da constatação de que a teoria do pensamento proposta por Bion permite ver como o trabalho sobre a literatura pode contribuir de maneira ativa para um diálogo intersubjetivo virtualmente infinito entre a mente criativa do autor, no seu tempo e espaço, e aquela do leitor, no presente (SHIELDS, 2009, p. 559). Portanto, é evidente que a ferramenta cognoscitiva do texto não é outra senão a experiência subjetiva dos participantes do grupo, a sua *rêverie*. É óbvio que o grupo do experimento de Shields pode ser assumido como modelo de uma grupalidade interna ao leitor, ao passo que os debates surgidos entre os vários membros servem como metáfora de um dialogismo interior. Assim, passamos de uma visão substancialista (ou dos conteúdos) a uma funcionalista (dos continentes psíquicos), isto é, passamos de *o quê* a *como*.

A adoção do paradigma bioniano implica, assim, uma visão do inconsciente em contínua evolução e coconstrução, bem como na referência a uma teoria da clínica cada vez mais orientada a dar peso igual à vida mental do analista e àquela do paciente. Do cruzamento entre as transferências recíprocas e as respectivas identidades, nasce algo diferente: um campo emocional com um funcionamento específico que prescinde dos elementos de partida, representando mais do que a sua soma. Algo parecido não acontece somente na sala de análise, mas também na leitura e na leitura crítica, ou seja, o denominador comum de todas essas situações residiria na experiência estética.

5 Passion play

Na perspectiva da comunicação entre inconscientes, os desenvolvimentos mais recentes da psicanálise tendem, de fato, a reduzir cada vez mais a assimetria entre analista e paciente. Retomando a metáfora dramatúrgica introduzida por Meltzer, poderíamos dizer que o analista sobe no palco. Esse é o caso de Grotstein, o qual considera a sessão analítica não apenas como um sonho, mas como uma "representação dramática da paixão" (no original: *passion play*), pois tanto o paciente quanto o analista tentam ser os mais espontâneos possíveis nas livres associações, e também porque, enquanto atores na cena da análise, eles criam uma representação narrativa que aparece "em contínua construção ←→ desconstrução por parte de um dramaturgo interno" (GROTSTEIN, 2011, p. 103).

Essa psicanálise não poderá senão produzir uma crítica literária (idealmente) apaixonada e carnalmente imersa no relato, realizando uma interpretação do texto que seguirá, na medida do possível, a indicação bioniana: "Quando o analista fornece uma interpretação, deve ser possível [...] ver aquilo que ele [no nosso caso, o crítico] fala, sendo possível, naquele momento, ouvi-lo, vê-lo, tocá-lo ou cheirá-lo" (BION, 1973c, p. 20).

Nas primeiras páginas da sua obra *Di vita si muore. Lo spettacolo delle passioni nel teatro di Shakespeare* ["De vida se morre. O espetáculo das paixões no teatro de Shakespeare"], Nada Fusini relata essas palavras extraídas de *La vendetta di Antonio* ["A vingança de Antônio"] de Marston, lembrando-nos que as emoções são uma coisa séria e que não podemos mergulhar no teatro de Shakespeare sem enfrentá-las também na sua violência:

> Por isso proclamo: se existe neste círculo
> alguém que seja incapaz de poderosas paixões,
> alguém que torça o nariz e se negue a conhecer
> como eram e como são feitos os homens,
> e prefere não saber como
> deveriam ser, que se apresse
> a deixar os nossos sombrios espetáculos:
> certamente se assustaria. Mas, se existir um peito
> pregado à terra da dor, se existir
> um coração trespassado pelo sofrimento, neste círculo...
> seja bem-vindo (FUSINI, 2010, p. 22).

Bion convida os analistas a se prepararem para a mesma violência quando lhes recorda que, se no trabalho com os pacientes sempre enfrentarão uma mudança, dita mudança será "catastrófica", pois subverte a ordem das coisas, suscita sensações de desastre e ocorre "de maneira brusca e violenta, quase física" (BION, 1973d, p. 18).

A propósito de não apenas estarmos prontos, mas também confiantes em encontrar nos textos a encenação das paixões, Antonino Ferro ressaltou que cada livro verdadeiro é substancialmente um livro de psicanálise. Afirmou, ainda, que um livro é verdadeiro se despertar curiosidade e paixão e se, à noite, ele nos faz dizer na cama: "'Daqui a pouco desligo', mas muitas vezes" (FERRO, 2004, p. 377).

Portanto, parece-nos que a psicanálise bioniana e pós-bioniana (e, por conseguinte, também uma crítica fundada nessa perspectiva) permite responder positivamente à pergunta provocatória e paradoxal que Pierre Bayard, crítico psicanalítico cético acerca das clássicas ferramentas hermenêuticas da psicanálise aplicada à literatura, apresenta: é possível aplicar a literatura à psicanálise? É necessário alcançar uma teoria psicanalítica que respeite e entenda que "a força da literatura reside exatamente no fato de que não é teoria, não é um monólogo, mas é inefável, múltipla, contraditória, sempre capaz de surpreender e de se revelar, mesmo no decorrer da História" (BAYARD, 1999, p. 219)[17].

É por isso que, conforme explica Claudio Magris, também na tradução, operação "impossível, mas necessária", a "verdadeira equivalência" entre o original e o texto traduzido consiste na "interpretação que se extrai de cada realidade fornecida, de cada experiência, de cada livro, algo mais que ainda precisa desenvolver-se, crescer. Essa é a garantia de uma tradução criativamente fiel" (MAGRIS, 1993, p. 171). E é também a garantia de uma interpretação clinicamente eficaz.

A interpretação é uma das ferramentas que sofreram, na história recente da psicanálise, um "desenvolvimento estético": "O modelo do processo psicanalítico deslocou-se daquele de 'interpretar' sonhos para o de 'ler' sonhos para 'sonhá-los' em um estado de reverência, como em outras formas de arte" (HARRIS WILLIAMS, 2010, p. 155)[18]. Seguindo a linha de pensamento inaugurada por Donald Meltzer e Martha Harris, Meg Harris Williams lembra que Bion estava convencido de que as interpretações psicanalíticas seriam mais aprimoradas se "suportassem a crítica estética", ou seja:

> Elas estariam *mais perto da verdade*. É o sentimento do belo que induz, que inspira o crescimento. Isso é o que organiza os diferentes vértices, as emoções conflitantes, em um padrão significativo; e é o que permite à "função-alfa", ou à formação de símbolos, acontecer. O senti-

---

17 Cf. também Bayard (2004).
18 N.T.: A tradução dessa citação e da seguinte de Meg Harris Williams foi extraída, respectivamente, da p. 261 e p. 57 da obra: HARRIS WILLIAMS, M. *O desenvolvimento estético*. O espírito poético da psicanálise. Ensaios sobre Bion, Meltzer e Keats. Tradução de Nina Lira Cecilio. São Paulo: Blucher, Karnac, 2018.

mento de convicção psicanalítica pertence ao domínio da estética, ou, como Keats disse, "Eu nunca me sinto certo de qualquer verdade, a não ser de uma percepção clara de sua beleza" (HARRIS WILLIAMS, 2010, p. 19).

A esse ponto, deveria ser evidente o porquê dos parênteses do título deste capítulo. Pensamos nos parênteses que englobam o adjetivo "nova" como a metáfora de uma consciência: se nenhuma chave de leitura pode ser absolutizada, então nem a nossa ou aquela bioniana (se considerarmos que falar de "uma" perspectiva bioniana seja realmente possível) pode sê-lo. Uma visão crítica que se propõe como radical e estruturalmente parcial, relativa, deve sempre estar disponível para après-coup e contínuas revisões[19]. Qualquer método de investigação, tanto do texto literário quanto da realidade psíquica, identifica um vértice específico, e, portanto, como nos lembra Bion, devemos esperar que as descobertas ocorridas a partir dele tenham a sua marca (BION, 1973b).

Por definição, um vértice nunca pode ser exclusivo, pois se transforma com a transformação do pensamento[20-21]. Olhar as coisas de um ponto de vista absoluto significaria negar a possibilidade dessas contínuas mudanças de perspectiva, que são fecundas tanto no campo literário quanto no analítico: seria como querer definir a priori o contexto inconsciente da leitura e a influência que ele detém no leitor. O próprio parêntese pode ser visto, em âmbito linguístico, como a ferramenta expressiva da presença contemporânea de mais vozes, de mais vértices[22].

19 O pluralismo diz primeiramente respeito aos diversos modelos de estética psicanalítica: Freud, Klein, Bion, Winnicott, Matte-Blanco, Lacan, etc.
20 Acontece algo parecido àquilo que Bion descreve: "O vértice do psicanalista, e as mudanças de vértice que correspondem às mudanças que ocorrem momento a momento em uma sessão, efetuam as transformações que se manifestam em associações e interpretações" (BION, 1973b, p. 128).
21 N.T.: A tradução da citação contida na nota de rodapé imediatamente anterior é extraída de: BION, W. R. *Atenção e interpretação*. Tradução de Paulo Cesar Sandler. Rio de Janeiro: Imago, 2006, p. 104.
22 Cf. Civitarese (2010c).

É então verdadeiro que não é possível, e provavelmente nunca será, eliminar uma dada perspectiva e fazer como se não existisse, por exemplo, um determinado ponto de vista histórico-patográfico. É um modelo que continuará a existir na mente de quem lê e que, pelo menos inconscientemente, persistirá a influenciá-lo. De fato, seria impossível, e talvez inútil, ler Sylvia Plath ou Virginia Woolf, por exemplo, pretendendo não saber como elas puseram fim às suas vidas, ou que Philip Roth se reflete em Nathan Zuckerman muito mais do que é possível afirmar, em geral, a propósito de qualquer autor em relação às suas personagens. De qualquer forma, tal conhecimento teria um impacto na leitura. Aquilo que se pode fazer é travar um diálogo entre o ponto de vista que produziu tal conhecimento e outros pontos de vista, tentar esquecê-lo, mas sem negá-lo ou, então, levá-lo em consideração, colocando-o "entre parênteses".

CAPÍTULO II

Conflito estético e abjeção na (L)Isabetta de Boccaccio[1]

---

[1] Este capítulo é baseado em Civitarese (2010a).

1 O texto multiplicado

Há mais de trinta anos, Mario Lavagetto pediu para que alguns críticos renomados comentassem a mesma novela de Boccaccio, *Lisabetta*, a quinta da quarta jornada do *Decamerão* (1992). A partir dessa proposta, nasceu um precioso livreto, hoje muito difícil de encontrar, intitulado *Il testo moltiplicato* ["O texto multiplicado"] (1982). Além de Lavagetto, entre os autores estão Mario Baratto, Alessandro Serpieri, Cesare Segre, Giovanni Nencioni e Alberto M. Cirese. Cada um deles abordou a novela sob uma perspectiva crítica e metodológica diferente: sociológica, psicanalítica, estruturalista, linguística, antropológica. A iniciativa era, em si, um sintoma da fragmentação do discurso da crítica e da legitimação do texto como obra aberta (ECO, 1962), e, portanto, da possibilidade de derivar infinitas leituras, ainda que naturalmente não arbitrárias. Proponho-me, aqui, empregando a noção de Julia Kristeva de "abjeção" e a concepção de Donald Meltzer para "conflito estético", a verificar como, após quase trinta anos, a articulação de um possível ponto de vista psicanalítico tenha mudado. De fato, neste período de tempo, a própria psicanálise transformou-se muito na sua configuração teórica, deslocando-se cada vez mais para modelos relacionais ou intersubjetivos.

Para começar as reflexões, gostaria de tratar acerca da insistência da crítica em considerar a novela de Boccaccio como um sintoma. Assim, adoto desde já a lógica freudiana da investigação nos produtos de descarte ou marginais da psique. Tamanha atenção demonstra o poder perturbador de atração de um texto que parece conter em si algo pertencente à ordem do retorno do recalcado, um segredo importante que promete *re*-velar, para quem sabe ler, os indícios mais ocultos. Um segredo que poderia ter a ver com o próprio significado da experiência estética, além da possibilidade de trazer à tona algumas das mais profundas verdades da existência. A minha leitura tem por objetivo chegar até o núcleo desse segredo, graças às ferramentas críticas elaboradas por Kristeva e Meltzer. Elas têm a ver tanto com a teoria quanto com os aspectos clínicos da experiência estética, uma vez que, de formas diferentes, ambos os autores defendem que a experiência estética afunda suas raízes nas vicissitudes primitivas da vida, quando a criança se encontra em um estado de quase fusão com o corpo da mãe. Assim, a própria literatura, com o seu infinito e emaranhado tecido de referências e alusões, representaria uma ulterior "ferramenta interpretativa".

Na tentativa de iluminar a complexidade do texto de Boccaccio, concentrarei a atenção na cena da decapitação, para a qual todos os percursos narrativos e metanarrativos convergem, por meio de uma perspectiva em après-coup inspirada por uma personagem extraordinária extraída de *Coração das trevas* de Joseph Conrad (é oportuno relembrar que o próprio conceito de après-coup está intimamente relacionado ao de "intertextualidade" conforme esboçado por Kristeva [2006c]).

2 Whodunit?[1]

---

1 N.T.: A expressão informal "whodunit", originada nos anos 30 a partir da pergunta *who [has] done it?*, versão coloquial de *who did it?* ["quem fez isso?"], refere-se a histórias em que a identidade do assassino é escondida até o final.

Em primeiro lugar, torna-se oportuna uma síntese do enredo da novela. Lourenço trabalhava como aprendiz para os irmãos de Lisabetta, que eram mercadores. Ela se apaixona pelo garoto, mas seus irmãos o matam. Lisabetta entra em desespero. Certo dia, tem um sonho em que o próprio Lourenço aparece, revelando-lhe o crime, quem são os autores e o local em que se encontra enterrado o seu corpo. Lisabetta dirige-se até lá com uma aia, desenterra o cadáver e, quando a cabeça aparece, decide cortá-la e levá-la consigo. Em seguida, esconde a cabeça em um vaso de manjericão, mas os irmãos se dão conta disso e levam embora o vaso. Chorando pela sua desgraça, Lisabetta se desespera até morrer.

Um trecho do livro de Julia Kristeva sobre Melanie Klein fornece alguns indícios preciosos para aprofundar a nossa compreensão acerca desse enredo sombrio:

> As rainhas do romance policial — destaquemos o feminino dessa expressão, óbvia, banal? — são mulheres deprimidas reconciliadas com a morte. Elas lembram como, no início, existia o sadismo invejoso e, ao contá-lo, não param de se curar dele. Imagino-as com a violência atenuada da idosa senhora Klein, a qual, ela também, poderia ter escrito romances policiais se tivesse tido a sorte de possuir uma língua materna, e se não tivesse se tornado a detetive principal, em outras palavras... uma analista (KRISTEVA, 2006b, p. 151).

Aceitamos a sugestão da Kristeva sobre o porquê das histórias policiais serem lidas e escritas (ou sobre o motivo para alguém se tornar analista) e prosseguimos lendo *Lisabetta* como se tivesse a estrutura de uma história de detetive[2]. Existe um crime, aliás, podemos considerar a existência

---

[2] O próprio Freud era um leitor apaixonado de histórias de detetive, em especial de Conan Doyle, tendo sempre um livro no seu criado-mudo (VITALE, 2005). A propósito de *Lisabetta*, devido à brevidade e à lucidez do texto, Baratto fala de uma história que é "às vezes um relato policial, outras vezes um relatório psiquiátrico" (BARATTO, 1982, p. 41).

de dois, um homicídio e um suicídio. Existe a investigação e também o epílogo, mas o encerramento não subtrai ao texto a sua qualidade enigmática. Terminada a leitura, não temos nenhuma certeza sobre quem é a vítima e quem o culpado, ainda mais se examinarmos o denso enredo fantasmático que, sob a pele, constitui o corpo do texto.

No plano explícito, os culpados são os irmãos, ao passo que as vítimas são Lourenço e, indiretamente, Lisabetta. Contudo, se usarmos alguns códigos psicanalíticos correntes de forma "flutuante" ou insaturada — Freud (1981, vol. XI) afirma que não se avança sequer um passo senão especulando (*spekulieren*), teorizando (*theoretisieren*) e fantasiando (*phantasieren*)[3-4] —, as coisas se complicam. Os irmãos aparecem como substitutos (metonímicos) do pai, também em decorrência da menção feita à riqueza herdada, e o fato de que são três sugere retoricamente a extrema severidade ou, melhor dizendo, a sua crueldade. Além disso, como sugere Serpieri (1982), os irmãos, ao serem representados pelo faz-tudo Lourenço, que também é o seu *agency*, são os senhores da lei e do poder do qual emana a ordem simbólica. É por deter esse poder que eles punem, em Lisabetta, o desejo proibido por Lourenço. O contexto da novela, conforme o autor explica no início através da personagem de Filomena, narradora da história, não é nobre como a história anterior de Gerbino, que é neto de rei, mas é o contexto de uma família bem mais humilde:

> Minha novela, graciosas mulheres, não será de gente de posição social tão elevada quanto a das

---

[3] Cf. também Freud (1986, p. 155): "Tenho gasto as horas noturnas, das onze às duas, com fantasias (*phantasieren*), interpretações (*übersetzen*, também traduzir) e palpites (*erraten*, também adivinhar), e, invariavelmente, só me detenho quando, em algum momento, esbarro num absurdo ou sinto-me real e seriamente esgotado pelo trabalho".

[4] N.T.: A tradução da citação contida na nota de rodapé imediatamente anterior é extraída de: MASSON, J. M. (ed.). *A correspondência completa de Sigmund Freud para Wilhelm Fliess* (1887-1904). Rio de Janeiro: Imago, 1986, p. 130. O que consta entre parênteses são acréscimos de Civitarese.

> pessoas cuja sorte Elisa acaba de contar; porém, nem por assim ser, deixará isto de inspirar tanta compaixão [...] Em Messina, viviam, portanto, três jovens irmãos; que também eram três mercadores, e três homens muito ricos, sobretudo após o falecimento do pai, que viera de San Gimignano. Estes irmãos tinham uma irmã, de nome Lisabetta, jovem muito formosa e muito bem-educada; fosse qual fosse a razão, eles não a tinham ainda casado (BOCCACCIO, 1992, p. 526-527)[5].

No entanto, essa indicação pode ser considerada também como o indício de uma estratégia de ocultamento. Assim como o papel de protagonista está deslocado do pai aos irmãos, e desses a Lourenço, da mesma forma a posição social do acontecimento sofre outra desclassificação, pois, simbolicamente, o nível nobre é aquele onde se encontram os pais. Por trás desse duplo pano de fundo, agitam-se as paixões primitivas da criança pelos seus objetos de amor, as quais foram resumidas por Freud no conceito de complexo de Édipo. Partindo desse ponto de vista, a decapitação de Lourenço e a morte de Lisabetta correspondem ao suicídio de Jocasta e à cegueira autoinfligida de Édipo.

No entanto, se por trás dele se estende a sombra do pai, nem Lourenço é completamente inocente, uma vez que é o ator ideal para esse papel. Ele olha demais para as outras mulheres ("pôs de lado as outras namoradas") e suscita o ciúme de Lisabetta, colocando-a, assim, diante da cena primária ao lhe despertar o desejo incestuoso, primeiro motor de toda a história, conforme interpretado por Serpieri (1982).

É Lisabetta, então, a culpada? No que diz respeito às leis de família, o seu amor por Lourenço é *des*-honesto. Lisabetta não é tão educada e pura quanto parece. É ela a origem

---

5 N.T.: BOCCACCIO, G. *Decamerão*. Tradução de Torrieri Guimarães. São Paulo: Editora Nova Cultural, 2003, p. 194.

de toda a destruição. Tanto o sonho quanto a morte por extenuação, que, de fato, é um suicídio lento, revelam o seu ódio inconsciente em relação a Lourenço: o sonho, porque indiretamente encena a sua morte e porque nele, de forma curiosa, Lourenço a acusa muito mais do que aos seus próprios assassinos; o suicídio, porque é a condição na qual, como Freud afirma (1981, vol. VIII)[6], a sombra do objeto recai sobre o Eu, isto é, a condição em que as autoacusações e a dor moral só traduzem para o sujeito o desejo de anular o outro do qual se sentiu traído e abandonado.

Também a moral mercantilista e burguesa desenvolve um papel na novela, pois leva a antepor a razão ao sentimento. Todos seriam, então, vítimas, ainda conforme Freud, do mal-estar da civilização, isto é, da repressão da vida libidinal que é o preço necessário a pagar.

Com certeza, outro culpado é o autor. Assim como no famoso exemplo de metalepse realizado com base em Virgílio, que faz morrer Dido no quarto volume da Eneida (GENETTE, 2004), igualmente Boccaccio "faz morrer" o pai, Lourenço e Lisabetta. Também no plano psicológico, e não apenas naquele formal, o autor não pode deixar de se colocar na pele das suas personagens e evocar, por meio deles, os seus próprios fantasmas.

Resta o leitor. Poderia uma autêntica experiência estética prescindir das pulsões e das projeções do leitor ou da reescrita que, na posição de *wrider* ou *wreader* (*writer* + *reader*), ele faz do texto (JENNINGS, 1992)? O leitor "ré-sonha" o texto que lê (eis o que os neologismos de Jennings querem dizer), atribuindo-lhe um significado pessoal ao entrar em uma conversa infinita com o autor, e por meio da identificação com a multiplicidade das personagens do texto.

Chegamos, assim, a uma primeira solução, embora paradoxal. Tanto as personagens conhecidas da novela quanto o autor e o leitor, pois se refletem em *todas* as valências

---

[6] Enamoramento e suicídio são as duas situações nas quais o Eu se encontra completamente esmagado pelo objeto.

psicológicas expressadas narrativamente pelo texto, seriam, ao mesmo tempo, vítimas e culpados, em dois planos diferentes. O texto está sobredeterminado ou impossível de ser decidido. Ele organiza, para o leitor, uma série de pontos de vista que o levam a descobrir, e talvez a tolerar melhor, a ambiguidade das coisas, os paradoxos da vida e as aporias da razão. Ou seja, a descobrir que, além da realidade material, existe uma outra psíquica.

Porém, é preciso considerar outra hipótese. Neste drama familiar sombrio, uma grande figura é ausente: a mãe! Diferentemente do pai, a mãe não é sequer nomeada, tornando-se, assim, a figura do recalque. Também por estar ausente, torna-se a perseguidora interna que, na sombra, move os passos de todos os outros. Uma mãe morta poderia ser a *imago* que, no plano psicológico, alimenta em Lisabetta — não na Lisabetta que é apenas uma paciente de papel, mas em uma pessoa real que se assemelha à jovem na função tanto narrativa quanto psicológica que ela representa — um sentimento de raiva narcisista, que depois se expressa em um contexto abertamente edípico. Lisabetta, assim, por meio da sedução incestuosa[7], curaria insustentáveis angústias depressivas e o seu próprio "assassinato" devido a presumíveis carências de *rêverie*[8] da mãe ou a um luto precoce. Contudo, a respeito dessa solução, a novela nos conta apenas o fracasso.

Tentamos seguir esse rastro, que também deriva de Kristeva. O sentido da citação do seu livro sobre Melanie Klein é que, quando alguém não tem a sorte de possuir uma língua materna, ou seja, acabou por *habitá-la* como alguém faz no

---

[7] O apego incestuoso à figura paterna é a maneira através da qual, às vezes, um sujeito sobrevive psiquicamente aos graves traumas sofridos na relação primária com a mãe (cf. Bokanowski, 2002).

[8] Por "*rêverie*", Wilfred Bion entende a capacidade da mãe de acolher e "sonhar" (no sentido de atribuir um significado pessoal) as angústias que o bebê vivencia, transmitindo-as em si mesma. Uma vez transformadas em algo tolerável, essas emoções não são mais destrutivas e podem ser ré-introjetadas pela criança junto com o "método" para tratá-las. É assim que a criança adquire gradualmente a função do pensamento.

exílio, pois teve uma mãe que não conseguia conter e traduzir as suas ânsias de criança, sente-se mortificado (daqui surge a depressão). A experiência vivida antigamente na relação primária com o objeto reforça o sadismo invejoso. Em busca da cura, alguns manifestam interesse por histórias policiais, por enigmas... por Freud. E tornam-se escritores, detetives, psicanalistas, isto quando não se tornam criminosos ou doentes.

3 Dois parênteses teóricos
3.1 O CONFLITO ESTÉTICO

As indicações contidas no texto, filtradas por meio da sugestão originada a partir da citação de Kristeva acerca da relação entre criatividade artística, criatividade científica e depressão, nos levam assim, por meio de Lisabetta, até o conflito nuclear do sujeito, àquilo que, desenvolvendo uma intuição de Bion, Meltzer (MELTZER; HARRIS WILLIAMS, 1989)[9] chamou de "conflito estético": o fascínio hipnótico pelo rosto da mãe que a criança vivencia ao nascer e o horror por aquilo que pode existir por trás, pelo seu lado obscuro; a atração impregnada de êxtase pela beleza da mãe e o simultâneo terror-pânico pela sua insinceridade, por algo que, estando escondido na sua parte interna, é vivenciado como ameaça e como presságio de um abandono. Aquilo que, no mundo da história do indivíduo, o mesmo da realidade material atual e o da transferência, torna insuportável o conflito estético, da forma com que foi descrito por Meltzer, é uma insuficiente permeabilidade às identificações projetivas[10] da criança (e, no tratamento, do analisando),

---

9 Cf. também *Conflitto estetico e funzione* α (CIVITARESE, 2011a).
10 Por "identificação projetiva", conceito criado por Melanie Klein e aperfeiçoado sucessivamente por Wilfred R. Bion e por T. H. Ogden (OGDEN, 1994), entende-se a defesa psíquica por meio da qual o sujeito projeta as suas próprias partes no outro e exerce uma concreta, embora inconsciente, pressão interpessoal para forçá-lo a assumir os conteúdos projetados. No decorrer do tempo, a identificação projetiva também assumiu, cada vez mais, o significado de uma modalidade de comunicação completamente fisiológica.

uma carência de *rêverie* da mãe (na sessão, do analista), isto é, no plano metapsicológico consiste na sua dificuldade em disponibilizar, na relação, a própria "função α"[11] e, portanto, a sua ausência mental e não apenas física.

Para Meltzer, a emoção estética está ligada exatamente à possibilidade de elaborar esse conflito e ao sentimento de transitoriedade das coisas. Comovemo-nos não pela beleza do objeto, mas pela sua precariedade; no nível mais elementar, poderíamos dizer, usando as palavras de Bion, que nos sentimos comovidos pelo "não seio", ou melhor, pela "não coisa", isto é, pela percepção punctiforme da ausência do objeto da qual nasce o pensamento. Portanto, somente é possível contemplar o objeto estético e deixar-se tocar pela sua beleza se conseguirmos fazer o luto da natureza efêmera da vida humana e se, portanto, tivermos "fé" na reaparição do objeto. Ao contrário, estaria faltando um autêntico sentido estético se o sentimento de perseguição do objeto ausente aparecer de maneira imediata e for algo paralisante.

As tensões evolutivas suscitadas pelo conceito de conflito estético são objeto de numerosas obras de arte, entre as quais, por exemplo, as muitas pinturas em que o primeiro plano é a atração repleta de êxtase da criança pela mãe. Em outros casos, ao contrário, como no episódio de Tancredo e Clorinda, de Torquato Tasso, maravilhosamente musicado por Monteverdi, em primeiro plano está o horror: no começo, o apaixonado percebe a ameaça e a estranheza do objeto, metaforizadas na cena do duelo, e, somente em um segundo momento, surge o fascínio, quando a inimiga já ferida mortalmente mostra o querido rosto que estava escondido pelo elmo.

Voltando a Lisabetta, após este primeiro parêntese teórico, acredito que o conflito estético tenha a sua extraordiná-

---

[11] Por "função α", Wilfred R. Bion entende um conjunto de atividades psíquicas desconhecidas — por isso as indica com uma letra do alfabeto grego — utilizado pelo sujeito para transformar protossensações e protoemoções em elementos diferenciados (sobretudo imagens visuais) com o objetivo de serem empregados para sonhar e para pensar.

ria representação no episódio da decapitação. A cena pode ser lida como o sinal de uma carência primitiva de *rêverie* do objeto à qual alude a ausência da mãe no texto, e, por conseguinte, da impossibilidade de tolerar a ambiguidade e a transitoriedade da existência. Daqui surge a ambivalência desproporcional de Lisabetta, que decapita — pois ela mesma é decapitada —, e que não consegue nem amar nem se limitar à lembrança de Lourenço, mas precisa passar ao ato concreto. Lisabetta condena e se condena à morte, poderíamos dizer, pois ela mesma se torna a mãe ausente/morta.

3.2 ABJEÇÃO

Apesar da sua utilidade, o conceito de conflito estético pressupõe ainda um dualismo mente-corpo (SWEETNAM, 2007) que limita o seu alcance heurístico. Por isso, proponho integrá-lo com o conceito de Kristeva de abjeção (KRISTEVA, 2006c)[12], conceito este com o qual ela foi, provavelmente, ainda mais fundo na definição do sentido do lado obscuro e ameaçador do conflito estético, pois enfoca sobretudo a sua dimensão sensorial, corporal e pré-objetal. Para Kristeva, o conflito estético "nuclear" é algo existente entre uma área não simbólica e outra simbólica, expressando-se não apenas no plano mais evoluído daquilo que, na definição originária de Meltzer, é representado por meio da oposição visível/não visível — em que se pressupõe que a criança *perceba* a mãe como separada —, mas também no plano mais elementar do processo de construção da subjetividade *antecedente* ao desenvolvimento do Eu e à aquisição de um self integrado.

A maneira utilizada pela mãe para que nasça na criança o sentimento de existir e, em seguida, criar um primeiro espaço psicológico, é oferecer uma superfície envolvedora ou limites físicos através da linguagem do cuidado, constituída por sensações e por ritmos. Contudo, por si só essa linguagem já expressa uma espécie de continência, assim enten-

---

12 Cf. também Boldt-Irons, Federici e Virgulti (2007).

dida, por Bion, como a capacidade de desenvolver um trabalho psicológico para a criança, estando baseada no exercício de uma função α bastante íntegra. O horror, então, possui duas faces. Não existe apenas o medo mais ou menos consciente de ser abandonado. Existe, ainda, a angústia de ser vencido e sujeitado, isto é, de ser reabsorvido em um estado de identificação primária com o objeto anterior ao desenvolvimento de um Eu.

"Abjeto" quer dizer ignóbil, repugnante, covarde, degradado, jogado fora, e se diz daquilo que provoca náusea, desgosto, repulsão. Para Kristeva, o sentimento de abjeção conserva enigmaticamente algo que existia, em nível arcaico, na relação com a mãe pré-objetal de um corpo que estava se separando com violência, "autoparindo", de outro corpo. Assim, a abjeção reconduz ao estágio da evolução individual no qual não se era nem sujeito nem objeto, nem totalmente outro nem ainda si mesmo, um corpo que estava fundido com outro corpo, mas do qual estava começando a se separar, em um estado zero do sujeito. Como se, para nascer, fosse necessário fazer morrer antes a parte da qual nos separamos, e como se esta mesma parte se tornasse os cabelos, as unhas, as fezes. A abjeção torna-se uma passagem necessária, e nunca completamente superada, para a construção de uma identidade.

Por isso, estar entre o humano e o não humano, algo que, na vida adulta, é percebido como abjeto, é um fluído orgânico, o vômito, as fezes, o pus, o suor, uma ferida aberta e, no seu grau máximo, uma parte ou um cadáver inteiro: algo que, de fato, foi humano, mas não é mais, permanecendo, ao mesmo tempo, familiar e estranho. Esses elementos nos reconduzem, misteriosamente, àquela experiência antiga. Contudo, conforme dissemos, na teoria de Kristeva, o protótipo do abjeto somente pode ser o corpo da mãe na medida em que foi obscuramente percebido como algo ao que se pertencia antes de existir, isto é, antes que se formasse um Eu e que tivéssemos acesso ao simbólico, à ordem da linguagem e a uma identidade separada. A abjeção se refere ao processo pelo qual, no estágio do narcisismo primário intermediário entre o ser e o não ser mais parte do corpo da mãe, o sujeito pode nascer como tal apenas vomitando-o, rejeitando-o e tornando-o repugnante.

A categoria da abjeção indica, assim, uma fronteira; quando o sujeito a ultrapassa, sente-se ameaçado, pois entra em contato com elementos impuros de tipo material e, depois, espiritual. A sensibilidade ao abjeto, e também àquilo que é abjeto no plano moral e do qual é preciso preservar-se, é indispensável para a saúde psíquica. Se não for possuída, se nos aproximarmos demais do abjeto, também acabamos caindo na abjeção, conforme assinala pontualmente o sentimento da vergonha, que é, de maneira simultânea, um mecanismo defensivo análogo à repugnância física e sintoma da abjeção como condição de infelicidade. A vergonha surge quando estamos longe demais do objeto, quando estamos "mortos" demais para ele, e vice-versa. Isso também pode acontecer porque se viola a proibição de chegarmos perto demais. O ápice da vergonha está no momento em que nos sentimos mortificados, como se fôssemos coisas. É significativo que, na ascética cristã, com uma reversão paradoxal de perspectiva, a automortificação enquanto prática religiosa é uma maneira de ganhar novamente o senso de vitalidade do qual goza apenas quem está na graça de Deus, isto é, as próprias divindades interiores. No fundo, trata-se do mesmo movimento de incesto, mas de forma sublimada, o último episódio de um jogador que está perdendo muito para ganhar tudo, um pouco similar ao que acontece quando se obtém impulso a partir da própria queda, a tentativa impossível de eximir-se à abjeção do luto inconsolável do objeto ganhando novamente (a abjeção de) uma extrema proximidade.

O conceito de abjeção de Kristeva, então, é parcialmente sobreposto, e em parte complementar, à noção de conflito estético de Meltzer: em primeiro lugar, por incluir, de forma mais convincente, a corporeidade, e isto a partir de um vértice diferente daquele adotado por Bion; em segundo lugar, porque o horror pelo interior do objeto é entendido por Kristeva sobretudo como a resistência ao movimento de o indivíduo ser sugado pela estrela negra da mãe, por um vazio que, na realidade, é um cheio demais, como um daqueles campos gravitacionais que fazem colapsar sobre si próprios também a luz. Neste caso, aquilo que colapsa seria o desejo, até chegar a uma anulação completa de si. Porém, inobstante o fato de o indivíduo acabar no *claustrum* ou ser projetado no espaço infinito, o resultado é o mesmo: a "vergonha" do não *e-xistir*. Esta vergonha deve ser vista como a febre que alerta o sujeito acerca de um problema de distância do objeto, um longe demais (quando se "morre" demais pelo outro) ou um próximo demais (quando se "morre" ao fundir-se no outro).

As consonâncias que o conceito de Kristeva possui, não só com aquelas estabelecidas em relação à ideia de conflito estético, mas também com a noção de Freud de estranho (*unheimlich*) (FREUD, 1981, vol. IX), são evidentes. A abjeção precede o recalque como mecanismo simbólico que requer já um Eu pré-formado e uma consciência reflexiva, podendo ser considerado, assim, como um *recalque originário*. Aquilo que se torna abjeto pode se reapresentar como o "surgimento de uma estranheza que, embora tenha sido familiar em uma vida opaca e esquecível, agora me aparece como radicalmente separada e repugnante" (KRISTEVA, 2006c, p. 4). É significativo que todos esses três conceitos tenham, como meta, penetrar o mistério da experiência estética.

Por exemplo, o corpo da mãe, considerado como abjeto e monstruosidade alheia, é aquilo que, no específico, o cinema do horror nos repropõe obsessivamente, também aparecendo nas versões atuais do universo *sadiano*[13]. Não é por acaso, pois, que tanto a arte de baixo quanto a de alto nível tenham a tendência, de algum modo, a purificar a abjeção.

---

13 N.T.: Adjetivo originado a partir do sobrenome do escritor Marquês de Sade.

Isso porque, é claro, nunca é possível nos desfazermos completamente do abjeto, mas somente expeli-lo para além de fronteiras, bordas, margens, leis e tabus. Ele se reapresenta cada vez que advertimos o impulso a voltar no abraço mortífero da sombria e poderosa mãe das origens; cada vez que assistimos a algo que reconduz ao corte da separação, ao drama da definição violenta das fronteiras do self. O abjeto não suscita apenas o sentido do horripilante, mas também algo pertencente à ordem da atração erótica. O espaço da abjeção é, portanto, fronteiriço.

Kristeva relaciona a abjeção à experiência estética, pois, embora o abjeto perturbe qualquer tipo de fronteira, ordem, lei, identidade, sistema ou margem, correspondendo ao trauma da exposição à própria morte por meio da morte do outro, mesmo na metonímia mínima de insignificantes produções corporais, em geral a poesia e a arte purificam o abjeto. Fazem isso, pois, no momento em que mergulham nele, violam todas as regras codificadas da linguagem, mostrando, assim, a sua arbitrariedade. Encontram o sentido apenas após tê-lo comprometido em profundidade, no lugar em que vacila a oposição si mesmo/outro. Como o êxtase místico, a experiência estética está enraizada no abjeto, e, talvez, nunca tão bem como na assim chamada *body art*, não por acaso uma das manifestações artísticas mais problemáticas da contemporaneidade. É o lugar no qual *womb* (útero) rima com *tomb* (túmulo), e a mãe arcaica, mais do que incestuosa, é apenas a face do real indiferenciado do qual o sujeito deve se desenredar, a Coisa (*das Ding*) da qual fala Lacan (SEGRE, 1982).

4 Perder a cabeça

Tomando-se por base a perspectiva da abjeção da maneira com que foi desenvolvida por Kristeva, o homicídio e a decapitação de Lourenço são também a negativa (o correspondente feminino) do *Lustmord* enquanto expressão do fantasma do matricídio, remetendo ainda ao assassinato sexual tornado popular por Georg Grosz (CIVITARESE; FORESTI, 2008) e Otto Dix, cujos equivalentes atuais são as versões mais perversas dos filmes slasher, snuff e sobre serial killers. Na fantasmagoria de uma série de perspectivas, todas ativas simultaneamente — as quais são mantidas sob permanente tensão, sem querer reduzir uma à outra —, Lisabetta é, ao mesmo tempo, a mãe arcaica, sádica e castradora, a representação da ameaça constituída pelo feminino, e também o sujeito que se confronta com o abjeto representado pelo cadáver da pessoa amada. Neste sentido, a especularidade dos nomes Lisabetta e Lourenço, destacada por Segre (1982), é especialmente significativa.

Contudo, se considerarmos que, do ponto de vista psicanalítico, a mãe é a assassina mais provável, percebemos que a única vítima certa, por enquanto, é a racionalidade "técnico-científica", aquela que fundamenta a psicanálise de inspiração mais positivista, na medida em que pretenderia conhecer o real (O, para Bion) segundo a lógica disjuntiva do princípio de identidade, ou seja, ainda em termos bionianos, K (*Knowledge*). O texto (já) multiplicado se fragmenta ainda mais em uma pluralidade de vértices interpretativos, embora estejam todos encerrados no interior da moldura unificadora de uma leitura inspirada nos códigos freudianos mais conhecidos. O esquema clássico da história de detetive, assim, não funciona mais. O *paradigma indiciário* (GINZBURG, 1986) não é suficiente para resolver o caso. É preciso usarmos outra lógica, aquela informada pelo paradigma onírico, que talvez somente graças a Bion e ao seu conceito de "pensamento onírico da vigília" passa a ser realmente o paradigma central da psicanálise (CIVITARESE, 2007)[14].

---

14 Bion inverteu, revolucionando-a, a teoria onírica de Freud, reafirmando, ao mesmo tempo, o valor fundamental da descoberta da retórica que governa o seu funcionamento. O sonho não é mais visto como a atividade de pensamento que oculta pensamentos latentes, mas como criação de sentido e simbolização. E não é só isto: sonhar não se limita ao sono, mas, de forma mais ou menos perceptível, abrange também o estado de vigília.

Como prova disso, a novela é um conto noturno, um sonho, e, desta forma, parece convidar diretamente a uma leitura parecida. É durante a noite que Lourenço vai até Lisabetta, e o desejo dos dois amantes é consumado no prazer proibido. A escuridão, porém, não os esconde do olhar de um dos irmãos. Lourenço não se dá conta da armadilha preparada contra ele, assim como o leitor não se dá mais conta do enredo no qual, aos poucos, vai se emaranhando. Lisabetta não vê mais Lourenço. É sempre no período noturno que chora pelo ausente, invocando-o. É no sono que o seu espectro lhe aparece, revelando o crime. Por fim, é a noite da melancolia que anuncia a morte da protagonista e fecha os seus olhos para sempre. Naturalmente, trata-se também da noite da razão e da explosão das paixões. O mesmo significado de labirinto, de exílio e de alteridade pode ser atribuído a todos os deslocamentos da família na península, desde São Gimignano até Messina e Nápoles. Tudo é um não saber, não ver, fingir, dissimular, ter segredos, calar, fugir, soterrar; mas, depois, é também um ver, madrugar, dar-se conta, desenterrar. Assim, a novela gira em torno de uma série de oposições: dito/não dito, honestidade/infâmia, dia/noite, luz/escuridão, visão/cegueira, vigília/sonho, verdade/ficção, conhecimento/ignorância, encontrar/perder. Eis um elenco de expressões que, semelhante à limalha de ferro em volta de um ímã, acaba por ser disposto de forma ordenada em volta da série dessas duplas binárias:

> Viu-o [...]; notou o fato [...]; com a prudência necessária [...]; em sigilo [...]; em determinada noite [...]; sem que ela o percebesse [...]; não fez nem disse coisa alguma [...]; até a manhã seguinte [...]; o que vira suceder-se na noite anterior [...]; resolveram calar-se a respeito do que sabiam e decidiram fingir que não tinham visto, nem sabido nada [...]; mataram-no e soterraram-lhe o corpo, de maneira que ninguém notasse o que acontecera [...]; não soubesse o quê [...]; não mais perguntou coisa alguma [...]; com muita frequência, à noite, chamou

> pelo rapaz, e rogou-lhe que voltasse [...]; certa noite [...]; apareceu-lhe em sonho [...]; acordou [...] acreditou no sonho que tivera [...]; tornou a chorar amargamente [...]. Na manhã seguinte, levantou-se [...]; não ousou dizer nada [...]; para comprovar se era verdadeiro aquilo que no sono lhe surgira [...]; convenceu-se de que era certo o que a visão lhe afirmara [...]; profundamente triste [...]; notou que [...]; não foi vista por nenhuma pessoa [...]; como se ele tivesse dentro de si o seu Lourenço escondido [...]; foi diversas vezes observada pelos seus vizinhos [...]. Percebemos que ela procede deste modo [...]; escutaram isto os irmãos; compreenderam do que se tratava [...]; sem que ela o percebesse, levaram embora o tal vaso [...]; desse modo teve fim o seu desventurado amor. Mais tarde, contudo, o episódio ficou conhecido de muitas pessoas [...] (BOCCACCIO, 1992, p. 527-532)[15].

Para desconstruí-las e induzir o leitor a duvidar da sua aparente transparência, Boccaccio evidencia as duplas de conceitos que instituem a ordem simbólica e permitem a construção do significado, porém ao preço do recalcado e daquilo que é excluído, daquilo que se perde no *slash da oposição binária*, na cisão estática que contrasta, de forma luminosa demais, os dois termos, escondendo assim a sua relação dialética[16]. Para entender as coisas, ao contrário, é necessário iluminá-las com um raio de escuridão. Para vê-las realmente, é preciso "perder a cabeça", ou, como diria Rimbaud, "tornar-se visionário", perder-se, usar uma "ciência mística" (GROTSTEIN, 2010). Eis porque a temática do sonho e aquela relacionada à decapitação da razão positivista representam a encruzilhada em que se encontram mais linhas de força do texto: o irracional da paixão, as lógicas contrapostas, mas complementares do paradigma indiciário e daquele onírico, o edípico, o pré-edípico.

15 N.T.: BOCCACCIO, G. *Decamerão*. Tradução de Torrieri Guimarães. São Paulo: Nova Cultural, 2003, p. 194-196.
16 Cf. *"Caesura" come il discorso di Bion sul método* (CIVITARESE, 2011).

Observamos, então, que, dentro da temática do recalque edípico, a novela realiza outro recalque mais profundo, originário, menos ligado a conteúdos que possam ter acesso à consciência e mais conectado a memórias corporais, ao "conhecido não pensado" (BOLLAS, 2001) ou ao "conhecer sem representar" de Nietzsche (GALLO, 2004), ou seja, a um senso primitivo do self que precede o Eu. Mas, talvez, exista um nível ulterior, relacionado ao escândalo da morte e do sentido, e também à possibilidade de dar um sentido às coisas, isto é, relacionado ao próprio significado da estética.

5 A decapitação e a estética do negativo

A cena da decapitação não é apenas central por aquilo que representa na economia do enredo ou no plano ontológico/antropológico, mas também pelo seu valor de alegoria da experiência estética e como uma declaração de poética. Para introduzir este nível, recorro a um efeito de intertextualidade (para homenagear Kristeva mais uma vez). Em *Coração das trevas,* Conrad apresenta uma cena na qual Marlow, ao aproximar-se de Kurz, vê cabeças empaladas e define a cena como "alimento para reflexão" (*food for thought*) (CONRAD, 1999, p. 181), o que é bastante surpreendente.

Como podemos interpretar esta cena? Em que sentido uma visão tão horrorosa pode alimentar o pensamento?

Existe uma palavra interessante que poderia descrever o sentimento suscitado por essa visão, misto de atração e de repulsa: *fascínio*, isto é, o feitiço que se acreditava que fosse realizado pelo olhar e por palavras mágicas. De forma figurada, é a influência ou força que uma pessoa, ou uma paixão, exerce sobre alguém, levando-o quase a não ser mais dono de si mesmo. Algo que provoca maravilha, mas que também submete e imobiliza: o olho maléfico.

"Fascínio" é sinônimo de "sedução". "Seduzir" significa fazer alguém perder a cabeça. A decapitação imaginária do fato de perder a cabeça, um pelo outro, na cena em que os olhares de Lisabetta e de Lourenço (ROUSSET, 1984) se encontram repletos de desejo, antecipa assim aquela outra cena macabra e real na qual o corpo exumado é decapitado. Também o papel da serva — da "aia" que "conhecia todos os seus segredos" (BOCCACCIO, 1992, p. 530) — está em consonância com a série de representações pictóricas nas quais as várias "Evas fatais" e "divinas castradoras" (KRISTEVA, 2009), as Salomés, Judites, Dalilas etc., sempre tiveram por perto uma segunda figura de mulher que assiste ou que repõe a cabeça no colo, em um saco ou em um vaso (simbolicamente, no útero), sugerindo uma cumplicidade toda fundada no feminino. O ciclo se encerra. A mulher dá a vida e também a retira.

Na novela, o tema do olhar impregnado de ódio está presente também na figura do manjericão. "Sabe-se que duas visões matam o homem, incapaz de tolerar a sua força. Uma é aquela do manjericão, pois dizem que, ao olhá-lo, se morre imediatamente; a outra é a visão de Deus", conforme afirma San Giovanni della Croce (2004, p. 105). Entende-se melhor o porquê da planta de manjericão, tão cheirosa, estar no vaso: acreditava-se que dele se originasse o "basilisco" (PIANIGIANI, 1988), um réptil lendário que mata com o olhar, símbolo também da mulher impudica que leva à perdição quem não a reconhece. Nas miniaturas dos manuscritos da Idade Média, o manjericão é o símbolo do ódio. De fato, se considera que as suas folhas tenham poderes mágicos. No Congo central — conforme se lê no dicionário etimológico —, no coração das trevas em que Conrad ambienta o seu romance, a planta é usada para esconjurar a má sorte e afastar os espíritos malignos (CHEVALIER; GHEERBRANT, 1994).

Em *Lisabetta*, a cabeça cortada/cegada de Lourenço caracteriza, de maneira sucessiva, três diversos regimes diegéticos: a realidade do mundo intersubjetivo dos homens e das suas leis; o sonho como emanação do inconsciente e o reino dos mortos, ou seja, o real como limite. Usando os termos de Lacan, correspondem ao simbólico, ao imaginário e ao real. De um ponto de vista narratológico, observam-se níveis narrativos diferentes que aludem às diversas dimensões da existência. No decorrer da novela, algumas passagens metalépticas ocorrem de uma para outra, violando assim a lógica e sendo, portanto, passagens-escândalo. A cada vez, uma moldura narrativa é transgredida para entrar na outra. Em *Coração das trevas* de Conrad, são as cabeças cortadas que anunciam o encontro do protagonista com o horror puro da morte.

Talvez se entenda o que está realmente em jogo (*at stake*) com *those heads on the stakes*[17]. As cabeças cortadas são a verdade *obscena* no sentido etimológico de mau presságio. Representam as "monstruosas paixões" e os "instintos brutais", mas também o horror e a barbárie do eterno sono. Tanto Boccaccio quanto Conrad conduzem o leitor aos abismos da mente humana, e fazem isso recorrendo à figura do sonho e da decapitação. Em ambas as obras, a cena macabra representa o fim e o limite de uma viagem até o coração das trevas da miséria humana, das pulsões do inconsciente, da morte. Mas, assim como ocorre com a Medusa, não se consegue olhar a morte nos olhos, pois ela se deixa captar somente nos reflexos do espelho (da arte). Não se faz conhecer diretamente. Mas não é, como afirma Benjamin, a morte que dá sentido para cada narração? Refiro-me à sua aguda observação segundo a qual, na origem do narrado, está a autoridade do moribundo: "O leitor de romances procura precisamente figuras humanas das quais seja possível deduzir um 'sentido da vida'. Por isso, aconteça o que acontecer, tem de possuir de antemão a certeza de que irá assistir à sua morte. Em último caso, a morte figurada, o final do romance. Mas melhor é sempre a morte real" (BENJAMIN, 1976, p. 252)[18].

---

17 N.T.: Literalmente, "aquelas cabeças nas estacas". O autor realiza um trocadilho com base nas expressões em língua inglesa que contêm a palavra *stake*: "to be at stake" (estar em jogo) e "heads on the stakes" (cabeças nas estacas).
18 N.T.: BENJAMIN, W. O contador de histórias: reflexões sobre a obra de Nikolai Leskov. *In*: BENJAMIN, W. *Linguagem, tradução, literatura*. Tradução de João Barrento. Lisboa: Assírio & Alvim, 2015, p. 168.

Eis o que é um romance, uma novela, uma experiência estética: a única possibilidade que nos é oferecida, como Perseu, de ver o reflexo de Medusa no espelho sem morrer. O horror é impensável, mas a arte lhe confere um vaso, uma pensabilidade, transformando-o em alimento para a mente. Aquilo que se gera é o choque prazeroso do resgate do significado lá onde parecia que estávamos assistindo à insensatez pura da morte[19].

Por isso, o núcleo obscuro da novela de Boccaccio reside na cena da decapitação, como o après-coup do romance de Conrad nos ajuda a ver[20]. No texto, um indício poderia ser a intrigante e peculiar decapitação acerca da qual chamou a atenção Sabbadini (2007): a queda da *capital letter* (novamente a cabeça!) em *L'Isabetta* (ou *Łisabetta*). De fato, por si só a variante já é uma desconstrução do nome e uma referência ao jogo de palavras, em italiano, que se forma entre *testo* e *testa*[21] (onde *testo* deve ser lido na acepção de "vaso", o vaso no qual é escondida a cabeça de Lourenço), um jogo que tem relevância significativa no "texto" da novela, e a propósito do qual tudo se pode pensar, exceto que não tenha sido intencional por parte de Boccaccio, um autor que pesa cada palavra com a balança de precisão de um ourives. Corpo da linguagem, corpo do sujeito e corpo materno coincidem. Conforme escreve Butler: "Na sua modalidade semiótica, a língua é empregada em um resgate poético do corpo materno, daquela materialidade difusa que resiste a qualquer significação discreta e unívoca" (BUTLER, 2004, p. 123-124). O corte da cabeça é o ponto para o qual convergem

---

19 Cf. *Ricordi della nascita, trauma della nascita e angoscia* (WINNICOTT, 1975, p. 223): "Une-se a esse sentimento de impotência [ao nascer], aquele intolerável de experimentar algo sem saber absolutamente quando acabará [...] É fundamentalmente por isso que a música é tão importante. *Através da forma se pode enxergar o fim desde o início*".
20 A intertextualidade é uma figura do après-coup.
21 N.T.: A palavra italiana *testa* corresponde a "cabeça" em português, ao passo que *testo*, além de corresponder à palavra "texto", indica também, em algumas regiões da Itália, um utensílio de cozinha em forma de vaso, geralmente de ferro fundido (derivado do antigo *testum*, que já se usava na Antiga Roma).

as linhas de força da novela: a incognoscibilidade da mente humana (ou seja, o escândalo da ambivalência afetiva ou o conflito estético) se entrelaça aqui com os limites do conhecimento do real e da morte (a abjeção segundo Kristeva).

O texto expõe, assim, a sua verdade, que é a da incognoscibilidade do enigma da morte. Ao fazer isso, assinalando o fracasso de cada consciência e oferecendo, ao mesmo tempo, uma forma de continência para esse sentimento, é possível definir um texto bem-sucedido, ou seja, bem-sucedido na medida em que nos comove. Desta maneira, o fascínio persistente da novela poderia estar no fato de que, mesmo sendo uma alegoria da simbolização e da busca pelo sentido, consegue ser uma boa forma de mostrar a experiência comum da insensatez da vida e da transitoriedade das coisas. Assim como a mãe faz para a criança, a função estética da arte está na sua capacidade de dar uma forma à experiência do negativo em um plano sensorial-corporal, renovando, a cada vez, o sentido de conexão entre corpo (emoções) e psique, ou seja, aquilo que Roland Barthes (1999) denomina o "gozo" do texto em oposição ao "prazer". É esse o ponto em que, na novela, se articulam o plano da verdade psicológica e o plano metanarrativo da reflexão estética, a capacidade de *rêverie* da mãe e aquela que o artista infunde nas suas obras.

Neste sentido, o texto é o *conteúdo*, a *cabeça* (o pensamento), o *vaso*. A cabeça, ou seja, o texto, a letra, o enredo, o significado, está escondida no vaso do texto, isto é, em si mesma, no *semiótico* (KRISTEVA, 2006a), no continente, e por isso é insondável. Desenterrar a cabeça/o texto significa revelar o significado, interpretar, mas, quando isso acontece — seja através de uma abordagem psicanalítica, semiótica, antropológica, linguística, etc. —, se transforma em uma planta, *em um vegetal*. Para entender o texto, é preciso não entendê-lo, é preciso cegar-se artificialmente. É a cegueira da noite que leva à visão, ao *insight*, ao passo que é na luz do dia que ocorre a violenta repressão dos irmãos, isto é, o recalque ditado pela Lei.

Talvez seja por esta razão que a decapitação obceca o nosso imaginário (KRISTEVA, 2009) e também o outro espelho que é a cena das mídias de massa: entre Iraque e a cabeça jogada em guisa de desafio aos pés de um Russell Crowe pré-*Gladiador,* antes de ser removido do papel de comando e de *condottiere* das legiões romanas na Alemanha (novamente, "os bárbaros", o primitivo); entre o Marlon Brando/Kurz de *Apocalypse now* e *Kill Bill*; entre as cabeças nas serigrafias warholianas de Marilyn Monroe e aquelas presentes nas camisetas com a imagem de Che Guevara; entre o suicídio-choque por corte da garganta no filme *Caché* de Haneke até Marlene Dumas. Porém, o Outro, a morte, os Tártaros de Buzzati e os bárbaros da célebre poesia de Kavafis não se deixam ver — no máximo, permitem-se *entrever* —, tratando-se, talvez, da decepção e do alívio da literatura e da arte em geral, uma (não) solução.

CAPÍTULO III

Do *Vas Luxuriae* ao futurismo elétrico: Corrado Govoni em corrente alternada

Francesco Capello e Giuseppe Civitarese

Nos "anos vertiginosos"[1] que marcaram a passagem entre o século XIX e o século XX, a Europa foi o palco principal de uma série de transformações que envolveram, em várias frentes, a sociedade, a economia, a paisagem, as instituições e a configuração cultural das elites. Na Itália, aos fatores de instabilidade que caracterizavam o quadro geral europeu, se acrescentaram outras mudanças relacionadas às vicissitudes específicas do desenvolvimento nacional, entre as quais a problemática gestão político-ideológica da herança do *Risorgimento*, e o processo tardio, mas aceleradíssimo, de industrialização e de urbanização, além da infiltração progressiva de novos modelos intelectuais e de paradigmas epistemológicos dentro de uma cultura que, mais do que em qualquer outro lugar, é ainda marcadamente tradicionalista[2]. A crescente inadequação de chaves consolidadas de lei-

---

1 Cf. Blom (2008).
2 Uma revisão específica da imponente bibliografia sobre o assunto constituiria um trabalho à parte. Assinalamos, assim, sem pretensão de exaustividade, alguns trabalhos historiográficos que, na nossa opinião, enfrentaram com grande eficácia os pontos problemáticos abordados também neste artigo, como, por exemplo, Gentile (2003), em especial a sua obra mais recente, publicada em 2008. Para uma perspectiva que desde D'Annunzio se estende

tura da realidade e a percepção difusa de uma continuidade cada vez mais precária com o passado determinaram a perda de uma "matriz estruturante" transpessoal (a cultura, em sentido lato) suficientemente estável e fundamentada na qual colocar e ordenar os objetos psíquicos, impactando na literatura e nas artes por meio de uma redefinição traumática dos contornos da subjetividade e dos valores formais.

A partir da década de 1960, a psicanálise pós-kleiniana desenvolveu ferramentas conceituais de grande relevância empírica e heurística para observar a entidade sujeito/grupo (por grupo é possível entender também as instituições, inclusive a cultura). Além disso, em anos mais recentes, ela se dirigiu com interesse crescente para o estudo tanto teórico quanto clínico das raízes psicológicas da experiência estética, concentrando-se cada vez mais nos específicos aspectos formais relacionados à fruição afetiva das narrações[3]. Este capítulo se inspira nos resultados dessas pesquisas para examinar, a partir de um vértice tanto discursivo quanto afetivo, a trajetória poética do primeiro Govoni, desde a transição do simbolismo *liberty* que caracteriza *Le fiale* ["As ampolas"] (1903), passando pelo *crepuscularismo*[4] das coletâneas sucessivas, até chegar no futurismo dos anos próximos da Primeira Guerra Mundial (1915). Tanto a abrangente reflexão sobre a primeira parte quanto a leitura mais

---

para o contexto do início de século XX, cf. Becker (1994). Apresentando um ponto de vista atento à evolução da relação entre formas retóricas e práticas discursivas, referências importantes são os volumes de Adamson (1993), Spackman (1989; 1996) e também Perloff (1986). Uma excelente visão do conjunto da cultura italiana do início desse século e das suas relações com o âmbito literário é oferecida pela obra clássica de Luperini (1981). Confira-se, também, o panorama dinâmico apresentado por Ceserani (2004).

3 Por exemplo, cf. Sirois (2008), Civitarese (2008), Jauregui (2002), mas também Bollas (2001) e, em uma ótica mais estritamente kleiniana, o pioneiro Fornari (1979). É fundamental, naturalmente, o *Urtext* da estética psicanalítica de matriz bioniana: Meltzer e Harris Williams (1989).

4 N.T.: Esse termo, considerando-se que os seus principais expoentes são conhecidos também como "poetas crepusculares", indica uma corrente literária italiana que caracteriza os primeiros anos do século XX e que promove, entre melancolia e ironia, o amor pelas pequenas coisas e pelos ambientes provinciais.

aprofundada de um texto especialmente revelador (a seção *Vas luxuriae* de *Le fiale*) pretendem explicar a maneira através da qual a transição da área literária e cultural de âmbito decadente àquela nacionalista-vanguardista representa o território da "ausência de luto" ou de um luto "não elaborado", tratando-se de uma carência na capacidade de "conter" psiquicamente, isto é, de transformar em pensamento as emoções perturbadoras desencadeadas por um sentimento de perda.

1 Uma breve premissa teórica: Bion e o sujeito/grupo, Käes e a cultura como "continente"

No léxico técnico elaborado por Bion e já amplamente acolhido pela comunidade psicanalítica internacional, a "matriz estruturante" transpessoal acima referida é descrita como uma "função continente/conteúdo"[5]. O par "continente/conteúdo" identifica dois processos psíquicos em relação dialética (como aquela existente entre uma figura e a sua sombra), descrevendo o processo por meio do qual uma forma é atribuída aos elementos dispersos (protossensações ou protoemoções) presentes na mente do infante e ainda não elaborados em pensamentos.

Com o termo "continente", Bion não indica um objeto real, nem um espaço ou uma pessoa física, mas um processo em virtude do qual objetos psíquicos não simbolizados (ou seja, ambivalentes, sem forma, não pensados e, portanto, ameaçadores e agressivos) são depositados, ordenados e estruturados dentro de uma matriz psicológica compartilhada e intersubjetiva. Nas fases mais precoces da vida, o papel de continência é desenvolvido principalmente pela mente da mãe (ou do cuidador primário), por meio da qual

---

5   O conceito de "continente" e a relação "continente/conteúdo" são explicados de forma clara, juntamente com as suas implicações teóricas, no sexto capítulo da excelente síntese realizada por Symington (1998). Cf., também, López Corvo (2006).

é introjetada a capacidade de simbolizar e de tolerar ("conter") as protoemoções e protossensações que a mente do bebê não consegue pensar. Através de um tipo de comunicação pré-verbal e pré-simbólica (mas não pré-sentido), a mãe assume e devolve ao infante angústias transformadas que, de outra forma, seriam "impensáveis"[6]. Esse tipo de comunicação é preponderante nas fases iniciais da existência, mas, apesar da sua natureza primitiva, não para de operar na vida adulta. Além disso, está na base da formação da "mente comum" de um grupo, através de um sistema complexo de identificações recíprocas com base no impulso exercido pelas emoções. O equilíbrio dessas trocas desempenha um papel fundamental para determinar a natureza progressiva ou regressiva da tarefa essencial do ser humano, que busca alcançar a própria verdade ("Quem eu sou? O que está me acontecendo?") ou atingir o crescimento psicológico[7].

Assim como os indivíduos — que, com base nessas reflexões, Bion concebe enquanto "grupalidades internalizadas" —, também os grupos sociais possuem uma própria vida mental, caracterizada, em momentos de crise (ou, patologicamente, na ausência de amadurecimento psicológico), pelo compartilhamento de estados emocionais que dirigem a sua ação conforme padrões recorrentes. Esses últimos, denominados "pressupostos básicos", podem ser considerados o equivalente social daquilo que as fantasias inconscientes representam no plano individual. Bion (1971) identifica três: luta-fuga, acasalamento e dependência, os quais podem alternar-se, mas não coexistir.

O grupo que age "em pressuposto básico" está baseado em uma linha regressiva de defesa em relação às angústias esmagadoras e não consegue mais funcionar como "grupo

---

[6] Referimo-nos à formulação ("pré-sentido") usada para denominar a área do semiótico em Kristeva (2006a).

[7] Uma introdução ótima e clara ao conceito bioniano de "transformações em O", de realidade e de verdade interna, e da sua relação com o ato de produção/fruição estética e o crescimento psicológico inerente, foi publicada por Pecorari (2005).

de trabalho", ou seja, é incapaz de perseguir as suas finalidades declaradas e amadurecidas por meio da confrontação com a realidade. Enquanto o grupo de trabalho se demonstra capaz de colaborar, além de tolerar a frustração e conter as emoções, aquele que age em pressuposto básico evita as frustrações e expressa hostilidade em relação ao novo e ao crescimento, sendo, assim, cada vez mais alvo de ânsias perseguidoras — nas quais a raiva e o ódio prevalecem —, e confiando tipicamente:

1. Em um líder paranoide que seja o seu porta-voz e indique um inimigo contra quem lutar (luta-fuga).

2. Em um tipo diferente de líder carismático (ou uma ideia) — quando prevalecem a culpa e a depressão — a ser idealizado e também denegrido, e do qual o grupo, enquanto organismo imaturo, possa ser passivamente cuidado e alimentado.

3. Em esperanças de salvação depositadas no advento de um messias ou de uma palingênese — correspondendo à confiança em uma opção mágica: estamos aqui no território do pressuposto básico do acasalamento.

Considerados a partir de um vértice interpretativo, que é tanto psicológico quanto cultural, os pressupostos básicos são, de fato, reações do grupo diante de eventos de mudança catastrófica e de desorganização estrutural correspondentes à difusão de ideias novas ou subversivas, mudanças da estrutura social e forças potencialmente destruidoras das configurações precedentes.

No que diz respeito à função de continente desenvolvida pela cultura, pela sociedade e pelas instituições, é fundamental apresentarmos a reflexão do analista francês René Käes, norteada pelos estudos sobre grupos de Didier Anzieu e do próprio Bion[8]. Käes identifica três níveis de espaço psíquico compartilhado como plataforma da origem da subjetividade: primeiramente, a mente da mãe (entendida

---

8 Cf. Käes (1980; 1987; 1994). No que diz respeito a Anzieu, as referências essenciais são as obras de 1979 e de 1987, ao passo que, para Bion, é a obra de 1971.

como cuidador primário); em seguida, o espaço psíquico do grupo familiar e das pessoas mais próximas; e, afinal, um "campo de troca" mais amplo identificável na sociedade, nas instituições e na cultura de um contexto histórico específico[9]. Conforme explica Lewis Kirshner:

> Não existe uma realidade inconsciente diferente da individual. Anzieu escreveu: "O envelope do grupo permite a constituição de um estado psíquico transindividual" que ele propõe chamar de "Self grupal [...] No interior deste envelope circulam as fantasias e as identificações entre as pessoas" [...] Käes, por sua vez, estende essa formulação até incluir uma parte transindividual da realidade inconsciente, um domínio compartilhado que conecta o indivíduo aos outros presentes dentro do envelope, reforçando as comunicações primitivas às quais nos referimos acima. Este nível transindividual consiste em um emaranhado de suportes para as funções intrapsíquicas como ideias, defesas, fantasias e construções de sentido que o grupo fornece. É "uma forma de intra/transcontinuidade e comunidade entre depositante, depositado e depositário" que age como "um enquadramento ou metaenquadramento" [...] Nesse sentido, a influência de Bion é clara (KIRSHNER, 2006, p. 1010).

A partir dessas premissas, Käes observa como a subjetividade vacila quando faltam "os garantidores metapsíquicos e metassociais usuais, as grandes estruturas de enquadramento e de regulação das formações e do processo social: mitos e ideologias, crenças e religião, autoridade e hierarquia" (KÄES, 2005, p. 58). As instituições (e, entre elas, a cultura), definidas por José Bleger de forma parecida, como uma "relação que se estende ao longo de anos por

---

9 O "historiador (literário) psicanalítico" que, trabalhando textos e documentos, quiser manter-se o mais distante possível de aproximações e de ilações psicobiográficas, privilegiará o terceiro enquadramento.

meio da manutenção de um conjunto de normas e de atitudes" (BLEGER, 1988, p. 244), representam os elementos constantes, invariáveis e não processuais da identidade. Por essa razão, elas se sujeitam à projeção-deposição dos aspectos indiferenciados da psique e são continentes silentes e depositários de parte da personalidade do indivíduo. Cada instituição representa, assim, à sua maneira, uma película psicológico-sensorial (o envelope de Käes e de Anzieu), um tipo primitivo de relação, um conjunto estruturado de formas de periodicidade e de contato capazes de construir uma base/pavimento sensorial da identidade.

Para maior clareza, e deixando para outro momento uma análise mais detalhada da transmissão dos conteúdos afetivos[10] e dos aspectos históricos relativos ao desenvolvimento, seria possível resumir o descrito até agora da seguinte forma: *a especial configuração afetiva de uma porção consistente e historicamente relevante de textos literários e políticos escritos na transição entre os dois séculos reflete a inadequação desse continente/película identitário no momento em que a autoridade e a função estruturante de algumas instituições*

---

10 Por razões de espaço, esse aspecto fundamental aqui será levado em consideração apenas de forma tangencial: com referência a Govoni, por exemplo, comentaremos algumas implicações afetivas da influência do léxico de D'Annunzio. Acerca dos mecanismos de transmissão de conteúdos afetivos latentes em âmbito não apenas familiar, mas também social e cultural, cf. Käes, Faimberg e Enriquez (1995). Um ponto de vista diferente, mas conciliável, com aquele psicanalítico é oferecido pelos estudos do linguista e antropólogo francês Dan Sperber. No âmbito das ciências cognitivas e da pragmática linguística, Sperber elaborou uma teoria "epidemiológica" da cultura (com bases que nos convencem mais do que as apresentadas pela memética de Dawkins), partindo do fato de que é preciso, primeiramente, evitar o impasse epistemológico provocado pela rígida dicotomia cultura/personalidade individual (a esse propósito, cf. Spiro [1951]). Sperber ressalta, por exemplo, como "a nossa atividade mental está apoiada em memórias externas que evoluíram com o desenvolvimento da escrita e da imprensa, e, agora, também com as novas tecnologias da informação. Tanto as ciências sociais quanto aquelas cognitivas precisam levar em conta essa evolução" (SPERBER, 2001, p. 32). Sobre Sperber, cf. a sua obra de 1999. Assinalamos, também, que, em nível de intuição poética, a mesma temática foi já desenvolvida por Borges na extraordinária prosa *Il sogno di Coleridge* ["O sonho de Coleridge"] (2005).

fundamentais (em sentido lato) começaram a desmoronar sobre a identidade, as relações e o poder. Trata-se de uma perda que os movimentos e as vanguardas literárias surgidos ao longo daqueles anos tentam controlar por meio da busca substitutiva e, de certa forma, sintomática, de uma escrita que, a cada vez, é:

1. Estetizante/exotizante (isto é, distante da interioridade).

2. Obsessivamente melancólica (sinal de uma interioridade equiparada à morte do continente ou, nas palavras de Freud, a sombra do objeto cai sobre o sujeito).

3. Ditatorialmente agressiva e conquistadora (muitas vezes ligada a uma negação da perda).

2 O *fil rouge* de Govoni (e não apenas)

No seu migrar incessante entre movimentos, estilos, repertórios e *topoi* literários, o Govoni do início do século XX é a amostra ideal para realizar uma análise focada na relevância afetiva dessas estratégias alternativas de continência. Afinal, em pouco mais de dez anos (1903-1915), ele atravessou o *liberty* erótico-estetizante de *Le fiale*, os tons "em cinza e em silêncio" das coletâneas *crepusculares* e a in-contível fúria futurista. A ausência de luto (com a relativa queda depressiva ou com a passagem para o hiperativismo maníaco, sendo essa última uma figura da negação) e a continência carente/impossível (ou seja, o funcionamento em pressuposto básico, também com transições rápidas de um tipo para o outro) identificam o *fil rouge* que conecta essas fases. A frenética sucessão de tons e de repertórios diversos reflete outras tentativas de gerenciá-lo em "matrizes estruturantes" complementares e, nessa fase de ativas experimentações vanguardistas, às vezes substituem aquelas da cultura tradicional: as formas literárias e o próprio texto, até mesmo a sua corporeidade[11].

---

[11] Estendendo o olhar até o fenômeno mais geral da vanguarda, não parece ser coincidência que, em um período em que a função continente de algumas diretrizes culturais fundamentais entra em crise, outros tipos de continentes (processos estruturantes e organizantes), como o texto e as formas, são solicitados quase de forma paroxística. A leitura paralela de Marinetti e de

Ao longo do itinerário *govoniano* proposto a seguir, avançaremos de trás para frente, ou seja, partindo da produção futurista[12]. Em termos gerais, um elemento de luto é certamente intrínseco não somente às obras futuristas do período pré-guerra, mas também à própria configuração ideológica do movimento[13]. O conteúdo manifesto é de um vitalismo explosivo, ao passo que o tema melancólico--crepuscular* aparece de maneira central quando são examinados os fantasmas latentes que estruturam essa poética. Alguns *topoi* do imaginário futurista estão no limite entre destruição/perda, por um lado, e reconstrução/renascimento por outro: pensemos, por exemplo, na exaltação da técnica como fator (recalcado) de alienação, mas, ao mesmo tempo, como ferramenta de emancipação. Dessa sobreposição, os *Adeuses* de Boccioni são o exemplo intuitivamente mais imediato, ao passo que o culto pelos aviões e pelos carros representa variações talvez indiretas, mas não menos pertinentes, do mesmo tema, conforme emerge, por exemplo, no encerramento por demais ambivalente da poesia de Marinetti (1921), *All'automobile da corsa* ["Ao automóvel de corrida"], publicada pouco antes do primeiro manifesto futurista, mas já em completa sintonia com ele:

Breton proposta por Fausto Curi sob a égide da "ruptura da literatura" confirma tal hipótese. A esse propósito, cf. Curi (2009).

12 Ao definir como futuristas os textos da *Inaugurazione*, publicados, como se sabe, pela *Libreria della Voce*, não escapa da nossa atenção a complexidade dos problemas de ordem histórico-literária levantada pela classificação das obras do "Govoni 1915", assunto já discutido de forma exemplar por Umberto Carpi (1984). Contudo, estamos inclinados, e as razões serão compreendidas ao longo da leitura, a favor de uma visão mais ampliada do fenômeno futurista, em sintonia com as teorizações precoces (e geniais) de Renato Poggioli e, sob uma perspectiva mais "empírica", mas igualmente atenta em relação às constantes psicológicas presentes nos textos, de Glauco Viazzi.

13 Na sua intervenção nesta conferência, Tomasello destacou o fato (raramente posto em evidência) de que a primeira tentativa de canonização futurista, a antologia de Marinetti intitulada *I poeti futuristi* ["Os poetas futuristas"] de 1912, contém textos que não teriam feito má figura nas coletâneas *crepusculares* publicadas nos primeiros anos daquele século. Voltaremos em breve a esse assunto, quando teceremos algumas considerações sobre *A Venezia elettrica* de Govoni.

Solte os freios! Não pode?
Rompa-os, então,
que o pulso do motor centuplique os seus lançamentos!
Urra! Sem mais contato com esta terra imunda!
Eu me separo enfim, e agilmente voo
no inebriante rio dos astros
que se dilata no grande leito celeste![14]

    Um grande final, portanto, sob a égide do luto (negado) e dos seus derivados: primeiramente, a idealização narcísica do self como entidade pura e, em seguida, a expulsão do "lixo" no objeto. A temática do distanciamento e da perda é também evidente na intenção de renegar violentamente o passado (a origem, a "terra" dos versos acima), retirando-se dele com força.

    Para ilustrar a especial natureza afetiva desse nó temático, é interessante comparar dois textos oficialmente futuristas dedicados à cidade de Veneza e publicados de forma quase simultânea nos meses entre 1910 e 1911[15]. O primeiro é o renomado manifesto *Contro Venezia passatista* ["Contra Veneza passadista"], de 1910, assinado por Marinetti, Boccioni, Carrà e Russolo (mas escrito provavelmente por Marinetti), no qual a cidade é exortada a abandonar a podridão secular

---

14 N.T.: Tradução de Nayana Montechiari, disponível integralmente em: https://fondamentidellaletteraturaitaliana.wordpress.com/category/allautomobile-da-corsa-traduzione/.

15 Para o debate sobre a Veneza literária nos primeiros anos de 1900, remetemos ao quinto capítulo do volume de Becker (1994), que apresenta uma análise interessante da transição a partir da decadência até a regeneração da cidade (e, olhando atentamente, da nação) na mitologia de D'Annunzio, fonte imprescindível de ambos os textos aqui apresentados. Embora inspiradora e bem documentada, a análise de Becker se limita a apresentar as duas fases justapondo-as, sem identificar, assim, a fundamental ligação psicológica que conecta a retórica decadente com aquela de matriz agressivo-nacionalista. Em detrimento do encerramento "em major", a frase desfocada e conclusiva do capítulo parece sugerir a consciência de uma continuidade que permanece etérea: "O diagnóstico de Sternhell não faz justiça à rejeição da decadência por parte de D'Annunzio: quando ele abraça o culto da vitalidade, não renega, de fato, aquele da arte, aliás, os seus escritos sobre a regeneração [...] incluem trechos que estão entre os mais intensos da sua arte, e, em geral, da literatura italiana moderna" (BECKER, 1994, p. 152).

da decadência para abraçar um futuro governado pela mecanização industrial e militar. O segundo, publicado poucos meses depois nas edições já futuristas do periódico *Poesia*, é a ode *A Venezia elettrica* ["À Veneza elétrica"], responsável por inaugurar as *Poesie elettriche* ["Poesias elétricas"] de Govoni, consideradas muito pouco canonicamente futuristas. Essa ode resgata, amplifica e comemora todos os traços estilísticos ligados ao corrupto esplendor da cidade decadente. Aquilo que mais impressiona da leitura sinótica dos dois trechos (de maneira evidente e, nas intenções, talvez polemicamente parecidos, como demonstra o denso diálogo intertextual destacado abaixo em itálico) é que palavras iguais, mas de signo oposto, podem conviver de forma pacífica sob o teto do discurso futurista. Conforme será observado, uma suspensão explícita do princípio de não contradição pode ser explicada desde que se identifique a ambivalente especularidade afetiva que a caracteriza em nível latente.

> Repudiamos a antiga Veneza extenuada com mórbidas volúpias seculares, apesar de a termos amado e possuído, durante muito tempo, com a angústia de um grande sonho nostálgico. Repudiamos a Veneza dos Estrangeiros, mercado de antiquários e adelos fraudulentos, polo magnetizado do snobismo e da imbecilidade universais, leito arrombado por um sem-número de caravanas de amantes, preciosa banheira de cortesãs cosmopolitas. Queremos curar e cicatrizar esta cidade que apodrece, chaga magnífica do passado. Queremos reanimar e enobrecer o povo veneziano, destituído da sua grandeza primeira, morfinizado por uma cobardia nojenta, e aviltado pela rotina dos seus pequenos e duvidosos comércios. Queremos preparar o nascimento de uma Veneza industrial e militar, que no Mar Adriático possa desafiar e enfrentar a Áustria, nossa eterna inimiga. Apressemo-nos a encher os pequenos canais fétidos com os escombros dos velhos palácios em derrocada e cheios de lepra. Queimemos as gôndolas, esses baloiços para

cretinos, e levantemos até ao céu a imponente geometria das grandes pontes de metal e das fábricas cabeludas de fumo para em todo o lado se desfazer a curva lânguida das velhas arquitecturas! Chegue, enfim, o brilhante reino da Divina Electricidade que libertará Veneza do seu venal luar de casa mobilada (MARINETTI, 1968)[16].

> Parteira de sonhos de poetas
> tenho no sangue o *turvo* encantamento
> da água dos teus *fétidos canais*
> verdes como a borra nauseante
> que resta nos copos
> onde morreram flores;
> tenho na alma a divina melancolia
> do teu rosto de *mulher viciosa*
> [...]
> Me fazes mal, eu sei [...]
> Ainda assim me atrais, perdidamente
> [...]
> ou embalam suavemente
> em frente a um hotel voluptuoso
> uma bela estrangeira sorridente
> em cuja cabeça pesa a *cabeleira* disposta
> como uma dócil serpente loira
> encerrada em couraças de âmbar e madrepérola
> e os olhos, sem fundo, de *brilhantes*.
> Me atrais: com os teus sórdidos edifícios [...]
> com os teus muros pustulentos...
> (GOVONI, *A Venezia elettrìca*, 1911)[17-18].

---

16 N.T.: MARINETTI, F. T. *O futurismo*. Tradução de António Moura. Lisboa: Hiena, 1995. Obra consultada em formato digital.

17 N.T.: Doravante, neste capítulo, para as poesias de Govoni e de outros poetas, será colocado em nota o original em italiano, devido à importância da forma estética e das nuances estilísticas comentadas por Civitarese e Capello.

18 Tradução não publicada de Cristhian Matheus Herrera: "Levatrice di sogni di poeti / ho nel sangue la *torbida* malia / dell'acqua dei tuoi *fetidi canali* / verdi come la feccia nauseabonda / che resta nei bicchieri / dove son morti dei fiori; / ho nell'anima la divina malinconia / del tuo volto di *femmina corrotta* [...] / Mi fai male, lo so [...] / E pur mi piaci, perdutamente [...] / o cullan mollemente / davanti ad un albergo voluttuoso / una bella straniera sorridente / sopra il cui capo pesa la *chioma* messile / come un dolce serpente biondo / stretto in corazze d'ambra e madreperla / e gli occhi senza fondo di *brillanti*. / Mi piaci: coi tuoi sordidi palazzi [...] / con i tuoi muri vaiolosi...".

Observando o plano fantasmático das narrações, é possível observar como, no manifesto antipassadista, dotado de típico esquema defensivo, a morte (doença, podridão, etc.) é extraída do interno (negada) e projetada para o externo sob a forma de agressividade. De fato, a desejada Veneza futura domina militarmente o Adriático, o qual, exposto ao seu impacto agressivo-expansionista, não pode fazer nada a não ser "morrer um pouco", redimensionando-se ao tamanho mais conciliador de "grande lagoa"[19-20]. Na poesia de Govoni, a situação é perfeitamente simétrica: a morte permanece retida na cidade (o objeto), a qual é apresentada como uma mulher carregada de energia erotizada não *apesar*, mas *em virtude* dessa morte. É uma cidade-personagem que atua afetivamente como as muitas vampiras *fin de siècle* que, com extenuada languidez, convidam personagens e espectadores para agarrá-las de maneira forçada, para então fazê-los participar da sua própria morte. A carga destrutiva da agressividade parece manter-se constante, independentemente da direção centrífuga ou centrípeta que assume a cada vez. Um testemunho eficaz da circularidade ou da intercambialidade "em corrente alternada" (e, portanto, da substancial compatibilidade) dos estados e das estratégias

---

19 Relembremos, *en passant*, a conotação ameaçadoramente feminina dos líquidos na retórica futurista — mas, neste horizonte europeu de fim de século, de pertinência não exclusivamente futurista. Susan Sontag escreve, a esse propósito, em *Wagner's Fluids*: "Nas histórias de Wagner, entram no corpo vários tipos de fluidos, mas é apenas um que sai, o sangue, e isso vale só para o corpo masculino. As mulheres morrem ensanguentadas [...] Somente os homens sangram — sangram até morrer [...] Também quando Wagner faz do corpo prostrado, hemorrágico e apunhalado dos homens o resultado de um combate épico, por trás da ferida infligida pela espada ou pela lança existe, geralmente, uma ferida erótica. O amor experimentado pelos homens [...] equivale a uma ferida. O obstáculo que transcende o mundo é, então, a verdadeira natureza do amor — uma emoção sempre em excesso em relação ao seu objeto, insaciável. O erotismo exaltado por Wagner conduz inexoravelmente à autodestruição" (SONTAG, 2001, p. 198-199 e 204).

20 N.T.: No original italiano do trecho citado acima (MARINETTI, 1968), afirma-se que o mar Adriático é a "grande lagoa italiana" (esse inciso não aparece na tradução consultada e aqui adotada).

afetivas que caracterizam os dois trechos acima analisados — mas que, mais em geral, na nossa opinião, caracterizam a fronteira entre retórica decadente e nacionalista do início do século — é oferecido também por Marinetti em uma página interessante do diário (datada de 31/03/1917), escrita alguns anos após o poema anterior:

> Sempre, sempre, na minha vida, esses dois estados de ânimo torturantes se alternaram: na cama mais voluptuosa e feliz, de repente fugi dos braços de uma amante deliciosa e bondosa, e sentado, fremente, estiquei a audição até um longínquo e imaginário bombardeamento. Nostalgia, desejo de heroísmo e de violência. Na trincheira, amálgama de lama das bombas, monstruosa hera trepadeira de corpos nus de mulher da minha cabeça até a lua. Nostalgia tórrida de luxúria. Por quê? Por quê? (RAINEY-WITTMAN, 1994, p. 4-5)

O impasse dicotômico no qual se sustenta o dilema de Marinetti serve como ulterior confirmação de que, para penetrar no sentido dessa "corrente alternada", antes de mais nada, é preciso transcender a "cesura estática"[21] da antinomia, privilegiando, ao contrário, a ambivalência "biestável" da gramática afetiva nas raízes da retórica da agressividade. É verdade que, dos textos analisados até agora, de maneira reiterada surgem sinais de uma rejeição violenta que não apenas é promovida ativamente, mas que também é sofrida passivamente: *como se o passado estivesse repudiando os futuristas e não vice-versa* — ou também: como se a "terra imunda" estivesse rompendo os freios do automóvel de corrida, levantando-o em voo (ou levando-o à deriva). Como se, em outros termos, diante da alienação de uma cultura da qual herdou identidades e olhares, o discurso futurista

---

21 Sobre os conceitos de cesura estática e de cesura dinâmica, e acerca das respectivas implicações epistemológicas, teórico-críticas e clínicas, cf. Civitarese, *"Caesura" come il discorso di Bion sul metodo* (2011a).

transformasse necessidade em virtude, assumindo, a título de defesa, a vida-couraça privada de sentimentos e de memória (mas também de sofrimento e de dúvida) do autômato. Ao passo que reconhecemos no incêndio do passado um sinal de mal-estar, entendemos também que, diante da perda desestabilizadora, uma solução provisória pode ser aquela da excitação vitalista, da negação da perda, da identificação com o agressor, das utopias da cidade nova e do homem novo: o autômato cotidiano de Prampolini ou o otimismo artificial, conforme a fórmula eficaz de Christine Poggi (2009).

Porém, a tentativa de reconstruir um mundo novo começa a partir de um mundo fragmentado (sem forma, in--contível), e a forma traz inevitavelmente as suas marcas: a técnica privilegiada pelos futuristas, tanto em termos pictóricos quanto literários, é o divisionismo nas suas múltiplas variantes, começando pelas peças menores do quebra-cabeça que era a realidade, para então tentar recompor uma totalidade perdida. O Govoni da *Inaugurazione della primavera* ["Inauguração da primavera"], na verdade contíguo (e não só cronologicamente) ao Govoni *parolibero*[22] de *Rarefazioni* ["Rarefações"] mais do que se reconheça, oferece abundantes exemplos em tal sentido: passa dos corpos polimorfos, multiplicados e despedaçados da *Fotografia medianica del temporale* ["Fotografia mediúnica do temporal"]...

> Todos os corpos se dissolvem e se fundem
> no crisol da chuva e da lama
> em uma maravilhosa confusão,
> se multiplicam incansavelmente,
> se acrescem de membros repentinos
> se arremessam em mil pedaços voluptuosamente
> como um espelho jogado pela janela (GOVONI, 1915)[23].

---

22 N.T.: Neologismo em língua italiana introduzido pelo futurismo, composto por *parola* [palavra] e *libera* [livre], indicando aquele poeta ou escritor que segue a técnica compositiva das "palavras em liberdade".
23 N.T.: Tradução não publicada de Cristhian Matheus Herrera: "Tutti i corpi si

... até a extraordinária condensação (onírica) dos corpos de uma jovem mulher e de um velho em *Identificazione* ["Identificação"]:

> Retomo o meu caminho, mas na alma
> o rosto maravilhoso daquela mulher
> não consigo recompor exatamente:
> vejo pender obstinadamente
> sob seus lábios divinos
> um tufo da imunda barba grisalha
> que a faz parecer uma velha cabra
> daquele velho asqueroso que a olhava.
> Os seus olhos estupendos sorriem
> entre as rugas daquele velho (GOVONI, 1915)[24].

E até a raiva onívora com a qual o poeta "lança mil si mesmos" para vasculhar, "agarrar avidamente" e "saquear" o corpo multiforme e inalcançável da cidade e, com análogas disposições e palavras, da mulher:

> Então, agora que estou realmente
> na rua, lanço dali mil mim mesmos
> para dominar toda a cidade
> para vasculhar os lugares mais secretos
> para saqueá-la em todas as suas belezas.
> (GOVONI, *Identificazione*, 1915, p. 67-76)[25].

> Toda aquela carne luminosa
> nada mais é que um espólio

---

stemperan si fondono / nel crogiuolo della pioggia e del fango / in una meravigliosa confusione, / si moltiplicano instancabilmente, / si arricchiscono di membri improvvisi / si scagliano in mille pezzi voluttuosamente / come uno specchio gettato dalla finestra".

24 N.T.: Tradução não publicada de Cristhian Matheus Herrera: "Riprendo il mio cammino, ma nell'anima / il volto meraviglioso di quella donna / non mi riesce di ricomporlo esattamente:/ vedo ostinatamente pendulo / sotto i suoi labbri divini / un ciuffo della sozza barba grigia / che la fa somigliare ad una vecchia capra / di quel vecchio turpe che la guardava. / I suoi occhi stupendi soridono / tra le rughe del vecchio".

25 N.T.: Tradução não publicada de Cristhian Matheus Herrera: "Così ora che sono realmente / nella via lancio mille me stessi / a dominare tutta la città / a frugarla nei siti più segreti / a saccheggiarla in tutte le sue bellezze".

> uma riqueza viva para saquear
> para agarrar avidamente.
> (GOVONI, *Io e Milano*, 1915, p. 25-49)[26].

O contraste tonal entre esses versos e a extensa amostragem de freiras, beguinas, amantes suicidas e cidades mortas ou desertas apresentadas por Govoni na longa fase *crepuscular*/idílica/decadente que precede a "virada" futurista não poderia ser mais estridente[27]. Procedendo cronologicamente na "contramão" ao longo da trajetória poética *govoniana*, parece que uma interdição enlutada se apodera da vitalíssima fúria futurista: longe de saquear a mulher, ela não é nem tocada, quase sugerindo que, se tal toque existisse, então *inevitavelmente* seria saqueada... E a cidade, por sua vez, não é mais apenas a "divina calçada [enquanto] quadrívio de todas as possibilidades" de *Io e Milano* ["Eu e Milão"]: ao contrário, para ter certeza de não dissolver-se nas suas ruas (ainda que a dissolução seja naturalmente aquela do sujeito), é preciso considerá-la morta, ou provincial, ou deserta.

Mas não nos deteremos nesta fase *crepuscular dead current*[28]: remontemos, ainda ao contrário em termos cronológicos, até as fontes da inspiração poética *govoniana*, ou seja, até o surgimento de *Le fiale* em 1903 — e a uma *fiala*[29] es-

---

26 N.T.: Tradução não publicada de Cristhian Matheus Herrera: "Tutta quella carne luminosa / non è più che un bottino / una ricchezza viva da saccheggiare/ da afferrare rapacemente".
27 O alcance relativo dessa "virada" foi identificado há bastante tempo, com base em continuidades temáticas e linguísticas entre o Govoni *crepuscular* e aquele futurista, por uma corrente de estudos sobre a qual é suficiente relembrar os renomados trabalhos de Mariani (1974) e Livi (1980). As ferramentas filológicas e a análise estilística que constituem o ponto de força dessas contribuições marcam, contudo, os limites heurísticos: o emprego de categorias literárias autorreferenciais permite detectar no texto a presença de continuidade e descontinuidade, captando, às vezes, os desenvolvimentos menores, não sendo possível, porém, identificar as dinâmicas metadiscursivas que contribuem para a sua determinação.
28 Cf. Capello (2009a) a propósito dessa fase.
29 N.T.: A palavra italiana *fiala* é geralmente traduzida em português como "frasco" ou "ampola". Por razões estilísticas, e por ser esse o título da coletânea de Govoni, optamos por deixar o termo *fiala* em italiano e em itálico no texto.

pecialmente volumosa, o *Vas luxuriae*, a famigerada seção expulsa da coletânea sob a recomendação (talvez injunção) do editor logo antes da publicação e, depois, resgatada por Lanfranco Caretti, que a publicou no periódico Strumenti Critici em 1975. A agressividade do luto encontra nestas páginas uma expressão extraordinariamente poderosa e explícita, ressurgindo na fonte como um rio cársico cujas águas estão, apenas de forma temporária, impregnadas pela melancolia *crepuscular*, ou "tingidas" (de vermelho sangue? A bandeira tricolor?) pelo diverso fundo ideológico-representativo do futurismo. Certamente, nesta fase inicial, o erotismo carregado de ódio e de agressividade para com o feminino (a origem, a terra, o passado) é menos mediado em termos ideológicos, e o luto que o configura do ponto de vista afetivo é mais diretamente atuado e representado. Como observaremos, dos vinte e um sonetos que compõem a seção, emerge, sem dúvida, um sentimento obsessivo acerca da transitoriedade das coisas, o qual, por sua vez, deixa aflorar o fantasma da mulher/mãe que castra e tira a vida. Uma amostra de sonetos precederá a análise da inteira seção.

> *Madalena*
> *Maria das tranças.*
> Ó magnífica dama de Magdala,
> douta nas luxúrias mais secretas;
> tu, que a alcova das brancas cobertas
> inebrias com o bálsamo que exala
>
> o teu belo corpo, um frasco que regala,
> e as jovens amantes deixas inquietas
> com apenas um olhar às ânsias indiscretas
> da carne em agonia que não se cala;
>
> eu te imagino assim: nua sobre o leito
> em uma posição sapiente,
> com doce e inexplicável langor

contra o saturado ventre e contra o peito
espremendo libidinosamente
o tão loiro Cristo Redentor[30].

Judite
II
E tu gozaste, ó rei, as carnes nuas e belas,
em grande delícia sobre o teu leito
jazendo sobre o lençol desfeito
com os teus braços seu corpo atrelas,

a te saciares das grossas coxas que zelas
apalpaste-as seguindo até o farto peito,
mordendo em frenesi satisfeito
os pálidos seios de formas singelas.

Mas tu adormeceste, e ela, ligeira,
com o ferro da tua própria pilhagem
desceu precisa a mão justiceira;

à alvorada lânguida que se anunciava,
no sangue da oculta carnagem
o teu pescoço lascivo gotejava[31]...

Fome de carne
II
Com lento deleite eu desmancharia
sobre a tua lisa figura suspirada

---

30 N.T.: Tradução não publicada de Cristhian Matheus Herrera: "*Magdalena / Maria da le trecce.* / O magnifica donna di Magdàla, / dotta ne le lussurie più segrete; / tu, che l'alcova da le bianche sete / inebrii del balsamo che esala / il tuo bel corpo, come da una fiala, / e le giovini amanti / rendi inquiete / con un sol sguardo ove l'ardente sete / de la carne agognata batte l'ala; / io ti penso così: nuda sul letto / in una positura sapiente, / con dolce e inesprimibile languore / contro il saturo ventre e contro il petto / stringendoti libidinosamente / il biondissimo Cristo Redentore".

31 N.T.: Tradução não publicada de Cristhian Matheus Herrera: "*Giuditta / II /* E tu godesti, o re, le ignude e belle / membra, con gran delizia sul tuo letto / molte volte abbattendole a diletto / con le braccia avvinghiate tra le ascelle; / e fino a sazietà le grasse e snelle / coscie palpeggiasti e il largo petto, / mordendo con frenetico diletto / le sue bianche e durissime mammelle. / Però, poiché dormivi, ella, leggera, / il ferro da la serica parete / calava con la mano giustiziera; / e mentre l'alba languida spuntava, / rigagnoli di sangue tra le sete / il tuo collo lascivo gorgogliava...".

cada serpente de Medusa esguia
da volumosa cabeleira intrincada;

e com a minha boca adoçada
as tuas nádegas eu morderia,
buscando sobre a anca imaculada
um par de pintas cuja fama precedia.

Como uma cortesã despudorada
repleta de sabedoria luxuriosa,
nua e cândida eu te possuiria,

e para saciar a fome viciada,
ânsia da minha carne vigorosa,
entre minhas coxas te estrangularia[32].

Lucrécia Bórgia
III
E agora onde estás, ó incestuosa
filha do Papa de desprezível imagem,
ó tu, que na alcova misteriosa
sobre o corpo do fiel pajem

provavas uma lascívia venosa
e o degolavas com lâmina de voragem;
onde estás, Madona luxuriosa
jamais satisfeita do prazer selvagem?

É verdade: tua fama ainda perdura,
o poeta evoca ao leito de plumagem
a ti, ó rainha da fornicação;

mas ai de mim!, já não expões a figura
entre as flores alvas e a folhagem;
no terraço abandonado, só a recordação![33]

---

[32] N.T.: Tradução não publicada de Cristhian Matheus Herrera: *"Fame di carne / II / Con lenta voluttà ti scioglierei / su la tua liscia schiena sospirata / i tortili serpenti medusei de la chioma foltissima e intricata; / e con la mia bocca prelibata / le tue natiche ti morderei, / ricercando ne l'anca immacolata / i gemelli e famosi tuoi nei. / Come una cortigiana spudorata / carica di sapienza lussuriosa, / ignuda e bianca ti possederei, / e poi per appagar l'insaziata / fame de la mia carne vigorosa, / tra le mie coscie ti scannerei".*

[33] N.T.: Tradução não publicada de Cristhian Matheus Herrera: *"Lucrezia Bor-*

3 A dedicatória

Após a leitura dos sonetos, a dedicatória inicial, "a coloro che non sono ipocriti" ["para aqueles que não são hipócritas"], adquire maior ressonância em relação à intenção — explícita e já bem ensaiada na tradição pós-baudelairiana — de desmascaramento da pruderie burguesa[34]. À luz de uma sequência de textos tão extraordinariamente monótona quanto monotemática, parece surgir, ao lado de bem-pensantes de fim de século, um alvo polêmico mais implícito: desde o começo, Govoni contesta com uma "proclamação da verdade" quem nega a evidência de um estado de coisas inelutável na vida e nos relacionamentos humanos, indicando, como único horizonte realmente disponível, o vazio que incessantemente repropõe nos sonetos. Esse vazio, relativo a um tempo afetivo e semântico[35], será a chave interpretativa dominante da leitura aqui proposta, desde a moldura da dedicatória até o sentido conclusivo da inteira suite, o "terraço abandonado" a partir do qual é apontado, no fechamento, o desolado horizonte de uma subjetividade vazia.

---

gia / III / Ed ora dove sei, o incestuosa / figlia del papa lurido ed abbietto, / o tu, che nella stanza misteriosa / sopra il corpo d'un drudo giovinetto / provavi una lascivia sanguinosa / e lo scannavi con un tuo stiletto; / dove sei, o Madonna lussuriosa / non mai sazia di coito diletto? / È vero: ancor la fama di te suona / e il poeta t'invoca sul suo letto, / regina de la fornicazione; / ma ohimè! tu più non sporgi la persona / tra un vaso di gardenia e di mughetto, / al desertato e memore balcone!".

34 Trata-se de uma operação provocatória, a propósito da qual Caretti (1976, p. 3-4), no caso desse primeiro Govoni, já assinalara oportunamente uma ascendência rebelde de marca *luciniana*.

35 Acerca da sobreposição de sentido, emoções, representações e "poesia" no quadro da teoria bioniana, cf. Bion (1973d). Devido a tal sobreposição (também resumida de forma eficaz no artigo de Pecorari já citado), poderíamos falar até de um "vazio poético", como se a textualidade compulsiva de Govoni contivesse em si o autodiagnóstico de uma função limitada do sonhar-pensar e do simbolizar.

4 Exotismo (e *horror vacui*)

"Certamente, você se entregaria a muitas
aberrações exóticas"
(Guido Gozzano para Amalia Guglielminetti).

Se tentarmos pensar no vazio como uma função matemática, será preciso escolher dois eixos cartesianos que o tornem representável: para a coletânea *govoniana* dos primórdios, a escolha poderia cair plausivelmente nas categorias "erotismo" e "exotismo"[36]. Em termos mais gerais, também atestam a íntima correlação entre essas duas categorias na cultura da Europa colonial-imperial dos séculos XIX e XX, não somente as inúmeras narrações nas quais o exótico em sentido estrito é abertamente erotizado, mas também aquelas nas quais o erotismo se configura de maneira exótica — em sentido amplo, e, portanto, não apenas caracterizando cópulas e relativas fantasias com personagens e ambientações remotas do *hic et nunc*, mas desancorando o sujeito (e, por sua vez, a cena) de uma firme moldura referencial, e, por assim dizer, de um centro de gravidade[37]. Ambas as configu-

---

[36] Esse último é aqui entendido tanto na acepção comum quanto naquela etimológica (do grego *exo*, "fora"), isto é, no sentido de um posicionamento externo à subjetividade e ao significado. Agradecemos a F. Congiu por nos ter assinalado as páginas dedicadas por Todorov (1991) ao par exotismo/erotismo, o valor heurístico desse par interpretativo tendo sido analisado com extraordinária mestria nas leituras de alguns romances de Pierre Loti, sem dúvida precedentes (do ponto de vista da estruturação afetiva) àqueles aqui examinados.

[37] Na literatura italiana do início de século, o exemplo mais feliz dessa correlação é oferecido, provavelmente, por uma carta de Guido Gozzano. Em 8 de abril de 1912, o poeta escreve, de Ceylon, para Amália Guglielminetti, que a ilha é "ainda a antiga Zaprobam, intacta, com as suas florestas impenetráveis, as suas tribos de Cingaleses maravilhosos (certamente você se entregaria a muitas aberrações exóticas)". Vaccari (1958, p. 142) ressalta que "na carta manuscrita, o *x* da palavra *exóticas* é maliciosamente sublinhado". Quanto ao exotismo (mas a observação vale também para o erotismo) de Gozzano, ele está descrito, nas suas principais coordenadas, neste breve trecho extraído do conto *Melisenda:* "Não existe nada melhor na vida. Deslocar-se continuamente para o além, para algo novo. É a mania de todos os atormentados e de todos os descontentes: sair de si mesmos" (VACCARI, 1958, p. 142).

rações do binômio são pontualmente detectáveis nas poesias do *Vas luxuriae*, em que sujeito e objetos não aparecem identificados e coesos, e onde espaço e tempo são sempre substituíveis.

Passando ao detalhamento das formas com as quais as coordenadas erotismo/exotismo identificam o vazio como função principal do nosso texto, é preciso considerar, em primeiro lugar, o exotismo em sentido estrito, com a recriação estereotipada, estilizada e de certa forma "orientalista" da antiguidade clássica e bíblica e, no caso dos sonetos para Lucrécia Bórgia, da ambientação própria do Renascimento. O palco dos eventos é deslocado para uma temporalidade somente esboçada, para um não tempo — evocativo da seta fixa do sentimento depressivo —, e, por sua vez, também a alcova, espaço privilegiado dessas delicadíssimas *mises-en--scène*, possui as características de um não lugar[38]. A escolha exótica do Govoni cenógrafo é, assim, substancialmente um pulo no vazio, e a sua estratégia é afastar (ou isolar) do presente e do real, tentando substituí-los por um texto fortemente "corporalizado". De fato, embora não tenha dúvidas de que o gosto pelo preciosismo verbal, nessa e em outras coletâneas, espelhe uma preferência muito característica daquela época, é igualmente verdadeiro que esse tipo de escolhas lexicais, a partir da "não assimilada" *Madalena* do primeiro soneto, serve também para ressaltar a corporeidade do texto por meio da espessura física do significante. Observe-se, a esse propósito, a recorrência inusitada de palavras polissílabas embutidas de consoantes duplas e as frequentes condensações fônicas com aliterações e assonâncias: *turgescenti* ["turgescentes"], *ermafrodito* ["hermafrodito"], *alabastrine* ["alabastrinas"], *fattucchiere* ["feiticeiras"], *pieghevolezza* ["flexibilidade"], *abbracciamenti*

---

38 Conforme a definição de Marc Augé (2009), um não lugar é "um espaço que não pode ser definido como identitário nem relacional ou histórico", sendo, além disso, construído para desempenhar uma função específica. No que diz respeito ao que esta função representa no texto de Govoni, seria difícil de se confundir.

["abraços"], *gorgogliante* ["borbulhante"], *avvinghiante* ["agarrador"] e também nos tercetos do primeiro soneto *positura/saturo* ["posição/saturado"], *inesprimibile/stringendoti/Cristo* ["inexplicável/espremendo/Cristo"], e assim por diante. Trata-se de uma corporeidade textual que, talvez de forma não muito diferente do corpo-fascista sobre o qual falou Klaus Theweleit (1997) e, mais recentemente, Jonathan Littell (2009), funciona como pilar contra o vazio: uma cratera que se abre aos poucos e que é preenchida de tecido verbal, ao passo que o terreno do semântico desmorona embaixo dos pés[39]. Nos sonetos, no que diz respeito à vacuidade do significado, salienta-se a abundância de pares estereotipados de adjetivos e de substantivos que, graças à sua generalidade, não querem dizer nada: *bel corpo* ["belo corpo"], *giovini amanti* ["jovens amantes"], *mostro obbrobrioso* ["monstro horrível"], *aromi cordiali* ["aromas cordiais"], *guerrieri impetuosi* ["guerreiros impetuosos"], *positura sapiente* ["posição sapiente"] e *nuove oscenità* ["novas obscenidades"], não tendo sido definidas de outra forma (esse uso frequente e especial do plural, outra herança certamente de D'Annunzio, contribui para desindividualizar ainda mais aquilo que os nomes, a princípio, denotariam). Eis, então, o surgimento de outra forma, aquela "etimológica", do exotismo — para fugir do vazio interno (significado), acabamos por nos agarrar à couraça externa (significante).

Assim, saturado, mas não vazio demais, é o vaso/texto de

---

[39] Littell resume eficazmente esse conceito complexo, explicando como o protótipo psicológico do homem-soldado (chamado também de homem-fascista) "se construiu ou deixou-se construir — por meio da disciplina, do treinamento, dos exercícios físicos — um Eu exteriorizado que se apresenta como uma 'couraça', uma 'armadura muscular'. Tal armadura mantém, no seu interior, onde o fascista não tem acesso, todas as suas pulsões e as suas funções desejosas absolutamente sem forma, pois são incapazes de objetivização. Contudo, esse Eu-couraça nunca é perfeitamente hermético, aliás, é frágil. Resiste somente graças a suportes externos: a escola, o exército, ou até mesmo a prisão [...] Não surpreende, assim, que o corpo se torne, ao mesmo tempo, o que é colocado em jogo, a sede e a vítima principal do conflito psicológico entre o Eu-couraça e a ameaça da sua dissolução" (LITTELL, 2009, p. 20 e p. 42).

Govoni, exatamente como o ventre de Madalena (soneto I, "saturado ventre", mas também em *Il mio ventre*: "Insaciantemente apaziguando / a minha fome por longos abraços"). A voracidade sexual das prostitutas tem a sua referência metatextual naquela verbal/textual de Govoni, não menos desenfreada, pois, de fato, não encontra objetos semelhantes na sua frente. O vazio é a ausência de objetos e também de sujeitos, e se as personagens femininas — indistinguíveis uma da outra — aceitam a lei da não existência[40], o mesmo léxico do erotismo já é, por si só, um tripúdio autêntico do indefinido: *lussurie più segrete* ["luxúrias mais secretas"], *ignota lascivia* ["lascívia desconhecida"], *ebbrezze sconosciute* ["embriaguezes desconhecidas"], *le oscenità / che non conosce alcuna cortigiana* ["obscenidades / que nenhuma cortesã conhece"], etc.

Para entender melhor a natureza desses paraísos prometidos, iremos nos referir novamente a Gozzano, em especial a uma *quartina* extraída da sua poesia *La più bella* ["A mais bela"] (GOZZANO, 1961). A comparação com Govoni é interessante, sobretudo pela convergência dos dois autores, aparentemente situados em polos opostos do *continuum* poético do início do século XX, a propósito da ideia da cortesã como guardiã do inalcançável. Gozzano escreve:

> Anuncia-se com o perfume, como uma cortesã,
> a Ilha Não Encontrada...
> Mas se o piloto avançar,
> rápida desaparece como aparência vã,
> se tinge de azul, cor da distância (GOZZANO, 1961, p. 266)[41].

---

40 A "regra do eco" se estende aos nomes de mulheres dos títulos, os quais, na parte central, estão emaranhados em uma densa rede de referências fônicas: Taide precede Laide e Frine precede Crise, em uma procissão do indiferenciado. A presença volumosa de Eco, naturalmente sob a égide de Narciso, não poupa os tipizados, anônimos amantes: "homens robustos", "o efebo", "o forte hermafrodito", etc.

41 N.T.: Tradução minha: "S'annuncia col profumo, come una cortigiana / l'Isola Non-Trovata... Ma se il piloto avanza, / rapida si dilegua come parvenza vana, / si tinge dell'azzurro color di lontananza".

Naturalmente, como vimos com *Melisenda*, aquilo que importa de verdade para o poeta de Turim não é a ilha, mas o "deslocar-se continuamente", a espera, a ausência. Isso não é diferente de Govoni, embora na sua fase pré-*crepuscular* a nota dominante não seja um *Streben* em escala reduzida e com nuances melancólicas, mas uma comemoração da ausência das cores fortes, exageradas e com pinceladas maníacas (de negação eufórica) que, conforme já observado, antecipam claramente certos resultados futuristas.

O afastamento "exótico" da interioridade, a ausência de objetos e a comemoração do indistinto são indicadores que, ainda mais quando conectados, definem uma falta de negociação emocional dos contornos e da separação. Deve ser unida a essa temática aquela recorrente da irresistibilidade: as prostitutas se autoqualificam ou são qualificadas como irresistíveis, autênticos buracos negros capazes de sugar o sujeito, os quais acabam sendo esmagadas pelo campo de gravidade do desejo — e, de resto, como na astronomia, não se trata de um "verdadeiro vazio", mas de um "cheio demais", constituindo uma dessas estrelas negras cujo poder de atração é tal que não permite nem que a luz se desgrude da superfície.

A insistência na elegância sensual e na competência técnico-erótica desses simulacros femininos deve ser lida na mesma chave de onipotência sedutora (persecutória). O próprio corpo da meretriz se torna aqui um objeto que "exala": *Esala il tuo bel corpo* ["Exala o teu belo corpo"], *Da la sua carne [...] esce un'olezzo* [sic] *come di rosai* ["a sua carne [...] emana uma fragrância como de roseiras"], *origliere / opulento e fragrante del tuo ventre* ["almofada / opulenta e fragrante do teu ventre"], *emanano un odore inebriante* ["emanam um perfume inebriante"][42], etc. Assim, além de, ou em sobre-

---

42 N.T.: Esses versos e os próximos que não forem acompanhados por referência bibliográfica são extraídos (no original em italiano) de Caretti (1975, p. 351-366).

posição com, o detalhe propriamente "olfativo", é sugerida uma aura que ameaça os limites e atrai irresistivelmente para si mesma, como o rastro do perfume de uma flor venenosa no qual é perigoso perder-se (nem aqui existem obstáculos ou freios "separadores"). De resto, os sinais de perigo estão disseminados um pouco por tudo: estão nas figuras gritantes de Judite e de Lucrécia Bórgia, mas também aparecem de maneira mais sutil, por exemplo, o detalhe da boca de Judite da qual escorrem sedutoras *la mirra e l'idromele* ["a mirra e o hidromel"][43], sem contar a reiterada associação, de um barroco *sui generis*, entre o sexo e a morte das rosas (*Molli tra le tue coscie alabastrine / morivano le rose di Corinto* ["moles entre as tuas coxas alabastrinas / morriam as rosas de Corinto"], *sopra il letto morirono le rose* ["em cima da cama morreram as rosas"]: aprendemos acima que o corpo da meretriz cheira como uma roseira). Também merecem destaque as inúmeras referências ao veneno e às serpentes, essas últimas associadas, de preferência, à esfera semântica da sedução: a dissolução das tranças, a curvatura das costas, etc.[44]

Ao observar o texto, o sujeito poetizante e as figuras femininas a partir da perspectiva da voracidade, isto é, da tentativa de preencher um vazio, é possível entrever a sua substancial sobreposição. A perda dos contornos da separação é também confirmada pela alternância contínua, no uso da primeira pessoa singular, da mulher ansiosa em ser possuída e morta, e do homem ansioso em possuí-la e matá-la (mas vimos que esses papéis podem ser inverti-

---

[43] A primeira, embora preciosa e perfumada, é também uma resina extremamente amarga usada no passado para embalsamar os cadáveres (entre os quais aquele do "tão loiro Cristo Redentor" relembrado no primeiro soneto: cf. Evangelho de João, 19:39). A segunda era uma bebida alcoólica difusa no mundo greco-romano e derivada da fermentação do mel, ou seja, outra premissa de perdição (considerem-se os vários "delírios", "desmaiar pela embriaguez", etc.).

[44] Acerca da importância especial e das implicações específicas desse *topos* na cultura do início do século XX, as referências principais são os trabalhos de Dijkstra (1988, 1997).

dos). Portanto, trata-se de duas crateras diante do espelho, ou talvez uma só: a onipotência/onipresença pansexual. O espelho revela a sua presença, mostrando uma fissura narrativa no segundo soneto *Fome de carne*, no qual a voz masculina agarra e assume com ímpeto um atributo ("a minha boca adoçada"), por nada em sintonia com os brutais "homens violentos" de sempre, pois é geralmente ornamento das "mulheres divinas" (*Bocca sana / donde cola la mirra e l'idromele* ["boca sadia / da qual escorre mirra e hidromel"], *La mia bocca à dei filtri saporosi* ["a minha boca possui filtros saborosos"]). Essa pertinente descontinuidade textual deixa entrever, em um relance, um eu que — de forma narcísica — "se experimenta" e preenche o vazio tornando-se sujeito/objeto, mulher/homem[45], e, assim, realizando uma autoincorporação. De qualquer forma, nem isso nem os banquetes sexuais compulsivamente preparados oferecem comida verdadeira: ao contrário, surge inconfundível, da coação à repetição que representa a matriz fundamental deste texto, o cheiro do indigesto — ou, em termos bionianos, do não transformado/não contido. A fome persiste, pois, a comida, não absorvível como o veneno (observem-se ainda as mulheres-serpentes e o final de Lucrécia Bórgia), não alimenta. No sujeito devorador, mas sempre subalimentado, os olhos são, por assim dizer, maiores do que o ventre, e a saciedade se torna a "ilha que não deve ser encontrada", ao passo que, na alcova, a ejaculação masculina é quase completamente expulsa em prol de um concorrente (no imaginário misógino) menos sujeito a cesuras: a orgia lésbica, ou melhor dizendo, hermafrodita[46]. Na primeira suspeita de pausa, por exemplo, no soneto *Sazietà* ["Saciedade"], logo se insere um *odo-*

---

45 A enésima versão da fantasia tipicamente *fin de siècle* do andrógino.
46 Com isso é possível ver, também, como a transgressão das fronteiras convencionais de gênero e de prática sexual está profundamente enraizada no sistema narrativo, linguístico e ideativo desse texto (mas também de muitos outros do mesmo período). Por conseguinte, uma leitura do *Vas luxuriae* focada apenas em *épater le bourgeois* ["chocar os burgueses"], na ideologia e nas fontes, corre o risco, em última análise, de ser redutiva.

re inebriante ["cheiro inebriante"] para reabrir os jogos. De forma semelhante, é possível observar também o *liquore incitante nel bicchiere* ["licor incitante no copo"], o *goderti fino a la sodisfazione* ["gozar até satisfação"], e, voltando ao *topos* das emanações, *addormentarmi sopra l'origliere [...] fragrante del tuo ventre* ["adormecer sobre a almofada [...] fragrante do teu ventre"], *finito l'amplesso e tu 'l rinnova* ["terminado o amplexo, tu o renova"]. Com exceção do último, todos são passos estrategicamente colocados no final do soneto para evitar o drama de uma parada ou, pior, de uma resolução.

5 Fome, sexo, luto e sadismo oral

O *Vas luxuriae* é um continente quebrado: ele é entupido de material hipertrófico (ver a amostragem "turgescente" de objetos parciais, desde as bocas aos seios até os "lábios túmidos"), material este que é incapaz de absorver, providenciar sentido ou transformar, e que, assim, transborda ou extravasa no estado com o qual foi introduzido. A mesma turgescência é, por sua vez, sinal de transbordamento. A ausência de uma função transformativa e de continência é a razão verdadeira pela qual o *Vas luxuriae* não é uma narração (a função narrativa é realmente inerte), mas uma situação ao centro da qual, como já foi observado, existe um vazio imóvel simbolizado pelos diferentes rostos da fome polimórfica[47].

Aproximando-nos do encerramento, gostaríamos de nos deter sobre a configuração majoritariamente sádico-oral que caracteriza a representação desse vazio. A oralidade domina, desde a metáfora básica da fome/saciedade sexual até o repertório de bocas e de objetos parciais não integrados e não (ainda?) humanos (a propósito de Frine, não por acaso é

---

47 Também a análise das molduras temporais das (não) ações dentro dos quadrinhos *govonianos* confirma a ausência de narratividade. Os fatos se desenvolvem rigorosamente em outro tempo. Pensemos, por exemplo, na perene dialética entre espera e recordação retrospectiva (Judite, Laide), e no fantasiar sobre o não realizado ou possível (*Madalena, Taide, Fome de carne, Lucrécia Bórgia*).

escolhida, na oração defensiva de Iperide, a expressão *"carne* para ser justiçada"⁴⁸). E, depois, continuando: *labbra* ["lábios"], *denti* ["dentes"], *sorbisce* ["aguenta"], *assetata* ["com sede"], *deliziose / carni* ["deliciosas / carnes"], a imersão do corpo no leite, os *seni golosi* ["seios gulosos"], as mordidas das serpentes... a fenomenologia dessa incorporação canibalesca do objeto lembra aquela associada por Abraham (1975) à fase tardia oral-destrutiva, no limiar entre fusão e cisão tanto idealizante quanto denegritório-persecutória de um sujeito/objeto ainda não completamente nascido. Os sinais de destrutividade sádica estão inscritos tanto na forma da linguagem, por exemplo, com a (auto)difamação ("prostituta" e afins), quanto abertamente no conteúdo das descrições — as repetidas mordidas com *denti appuntiti e vigorosi* ["dentes aguçados e vigorosos"] e, ainda, *saccheggiato* ["saqueado"] (um verbo e uma percepção de longa data, como já foi observado nos textos do Govoni futurista), *m'abbattono* ["me matam"], *squasserò* ["sacudirei"], *strette violenti* ["morsas violentas"] até o ápice homicida de Lucrécia Bórgia ("e o degolavas com lâmina de voragem") e do segundo soneto dedicado para uma senhora, no qual uma primeira pessoa singular se revela: "e para saciar a fome viciada, / ânsia da minha carne vigorosa, / entre minhas coxas te estrangularia"⁴⁹.

A relação entre luto e sadismo oral foi ressaltada por Freud em *Luto e melancolia*, que reconstrói as vicissitudes dessa relação: o objeto perdido cai sobre o Eu e é por esse incorporado. A seguir, alternativamente: 1. funde-se com o Eu por meio da identificação; 2. o Eu sofre internamen-

---

48 Acerca do desejo de triunfo sobre um objeto ainda não humano (ou desumanizado), cf. Stoller (1978). Nos sonetos, a desumanização é realizada, às vezes, por meio do artifício retórico da sobre-humanização, significativamente dirigida para objetos parciais: *schiena sovrumana* ["costas sobre-humanas"], *vulva sovrumana* ["vulva sobre-humana"]. Importante observar que o adjetivo "sobre-humano" está presente nas duas fontes principais do *Vas luxuriae* (também do ponto de vista da configuração afetiva): as obras de D'Annunzio *Intervalo de rimas* (1883) e *Poema paradisíaco* (1893).

49 N.T.: Ver original e tradução do soneto mais acima.

te os ataques do objeto investido de forma ambivalente: a identificação é "o estágio preliminar da escolha de objeto, e o primeiro modo, ambivalente em sua expressão, como o Eu destaca um objeto" (FREUD, 1981, vol. VIII, p. 138)[50]. A respeito de ambas as soluções, o *Vas luxuriae* oferece abundantes exemplos: por um lado, observou-se a sobreposição entre sujeito e prostitutas; e, por outro, as presenças persecutórias e castradoras da caçadora de cabeças Judite e de Lucrécia Bórgia.

Fizemos referência, logo acima, a uma forma primitiva e ambivalente de investimento objetal, no limite entre a fusão com o objeto e a cisão do objeto materno não integrado, essa última regulada tipicamente por uma polarização tanto idealizante quanto denegritória (surge à mente a renomada obra de 1988, *Mother, Madonna, whore: idealization and denigration of motherhood* ["Mãe, Madona, prostituta: idealização e depreciação da maternidade"], de Estela Welldon). É verdade que, entre as muitas prostitutas do *Vas luxuriae*, parece, à primeira vista, que faltam as madonas. Contudo, olhando bem, elas estão presentes e em lugares muito significativos do texto, de forma apenas mascarada no primeiro verso de toda a série (em italiano, "MA-gnifica DONNA", fazendo eco e confirmado logo depois com "MAgdala, / DOTTA") e depois, explicitamente, no soneto de encerramento (*Madonna lussuriosa* ["Madona luxuriosa"]: pouco importa se Madona é *também* um apelativo que tem a aparência de algo que remonta à Renascença).

Trata-se de marcas banidas de significado, mas registradas no corpo do significante. Entretanto, o corpo físico do texto, substituto do significado, é de fato (conforme sugere o verso final) "recordação" de uma ausência que representa, talvez, a verdade mais profunda desse universo de signos —

---

50 N.T.: FREUD, S. Luto e melancolia. *In*: FREUD, S. *Obras completas*. Vol. 12. "Introdução ao narcisismo, ensaios de metapsicologia e outros textos" (1914-1916). Tradução de Paulo César de Souza. São Paulo: Companhia das Letras, 2010, p. 182.

o "abandonado" terraço, o sujeito não contido pelo objeto perdido e (por isso) persecutório[51]. Olhando melhor, a peregrinação em círculo de Govoni na sexualidade do *Vas luxuriae* (e não apenas) ocorre dentro de uma espacialidade que é a dilatação de uma "mãe morta" (GREEN, 1985).

---

[51] Relembrando a contribuição de Ferenczi para a elaboração de uma ideia "relacional" e não inata ou filogenética do sadismo (ou do instinto de morte), Cassullo (2011, p. 61-70) ressalta como os famosos *reproaches* dos melancólicos contra si mesmos são, nesta ótica, "dirigidos para o objeto primário em relação ao qual eles se identificam inconscientemente" e que não soube acolhê-los e contê-los de forma adequada.

CAPÍTULO IV

Os ciborgues sonham? Visões do pós-humano em *Caçador de pesadelos* de Shinya Tsukamoto[1]

---

1   Este capítulo é baseado em Civitarese (2010b).

1 *Caçador de pesadelos*

"O meu interesse pelos pesadelos remonta ao tempo da minha infância. A coisa mais horrível era pegar no sono, pois eu caía logo em sonhos que me assustavam": ao filmar *Caçador de pesadelos*[1] (*Akumu Tantei*, 2006), conforme a sua explicação em uma entrevista (ROMBI, 2006, p. 37), Shinya Tsukamoto afirma ter se inspirado nos fantasmas que lhe atormentavam quando criança. Não surpreende que seja um dos diretores mais hábeis em representar o mundo onírico, tendo escolhido David Cronenberg e David Lynch como seus mestres. Mesmo não sendo muito conhecido pelo grande público, Tsukamoto é um dos autores de maior talento do cinema japonês contemporâneo, tendo recebido numerosos prêmios, entre os quais, o prêmio especial do júri do Festival de Veneza para *A snake of June* [no Brasil, *A serpente do amor*] (2002).

O tema principal do mundo poético do diretor é a alienação humana que aflora quando a construção do sujeito é marcada por traumas. Para se aprofundar nessa infelicida-

---

1 N.T.: Em italiano, o título do filme é *Il cacciatore di sogni*, citado pelo autor, ao longo do texto, também com o seu título em inglês, *Nightmare detective*.

de, que observamos todos os dias na sala de análise, Tsukamoto escolheu a linguagem do imaginário *cyberpunk*. Essa corrente, inaugurada por *Blade Runner* (1982), preconiza uma era dominada pelos computadores e uma humanidade subjugada às máquinas. É a nova sociedade dos ciborgues, na qual, como a ficção científica promete, as mentes serão transferidas como *files*. As novas tecnologias parasitam o corpo e o formatam à sua própria imagem. Dispositivos cada vez mais invasivos ou, ao contrário, englobantes, removem a humanidade do indivíduo e da sociedade. As fronteiras entre humano e não humano se deslocam. Desta forma, desenvolvendo a metáfora central do homem-máquina para tratar da desumanização, *Caçador de pesadelos* é uma meditação acerca do mal-estar moderno da civilização. Iluminando com uma luz crua a cultura do assim chamado pós/trans-humano, Tsukamoto mostra como a subjetividade está se redefinindo. Em suma, ele repropõe o mesmo mundo poético dos primeiros filmes, geniais e desconcertantes, mas faz isso com um estilo menos expressionista, conseguindo — esta é a surpresa que reserva aos espectadores — mostrar que a tecnosfera já penetrou insidiosamente na nossa vida cotidiana. Como exemplo, basta pensar nas tecnologias da realidade virtual, na engenharia reprodutiva e genética, na cirurgia plástica, na inteligência artificial, nas novas mídias, etc.

O filme pode interessar aos analistas, pois trata da angústia e do suicídio, e porque, na minha opinião, alcança resultados insuperáveis na representação do pesadelo. As cenas nas quais algumas personagens se encontram na realidade do sonho são extraordinariamente sugestivas. Que eu saiba, não existem imagens mais evocativas do conceito de *espaço compartilhado do sonho*, que é central em alguns modelos da psicanálise contemporânea. Em seguida, proponho-me a mostrar como o autor entrelaça, de forma eficaz, os assuntos da infelicidade individual e coletiva através da exploração da dimensão onírica: o que significa sonhar ou fazer sonhos interrompidos, de que forma é possível recomeçar a sonhar, que tipo de causalidade circular se pode criar entre o uso da tecnologia como defesa e a tecnologia como fator em si de alienação social. Contudo, antes de qualquer reflexão, é necessário resumir o enredo do filme, muitas vezes intencionalmente ambíguo, pois trata da ambiguidade do sonho.

2 Zero

Deitada na cama, com insônia, a detetive Keiko Kirishima (a *popstar* Hitomi em sua estreia como atriz), que há pouco tempo passou a integrar o núcleo operacional da divisão de homicídios de um distrito de Tóquio, folheia nervosamente o livro sobre os sonhos de Medard Boss, deixando-o logo cair. Em um *flashback*, reaparecem as dramáticas imagens da cena do crime que está investigando: uma garota *punk* foi encontrada morta no seu quarto em circunstâncias misteriosas, o corpo apresentando numerosos cortes. É o primeiro caso que lhe é atribuído, e não se apresenta como um dos mais simples. A porta do quarto estava trancada por dentro. Tudo levava a crer em um suicídio. No entanto, Keiko não está completamente convencida, até porque descobriu que, antes de morrer, a garota discara no celular um número de telefone, gravado nos contatos como "0" (zero), este fato parecendo-lhe um indício precioso para tentar encontrar o assassino.

Tendo deixado para trás uma brilhante carreira como criminóloga, Keiko sentia a necessidade de se confrontar com o horror na prática, mas, por duas vezes, não aguenta a visão do sangue. Percebe-se que, na delegacia, ela é acolhida com ironia misturada à superioridade por parte do inspetor sênior, Sekya (Ren Osugi), incrédulo diante desta colega que até no trabalho usa salto alto. Porém, a fraqueza, sintoma de um profundo mal-estar, assim como a expressão perdida e quase ausente do seu rosto, acabará sendo a sua força. Entretanto, em circunstâncias também estranhas, um homem se mata no sono, ao lado da esposa que assiste a tudo, horrorizada. Antes de tirar a própria vida de forma tão cruel, descobrimos que o homem também fizera a misteriosa ligação. Tradicionalista, pragmático e bastante cínico, Sekya gostaria de arquivar os dois crimes como casos de suicídios. Ao contrário, Keiko e Wakamya (Masanobu Ando), um colega mais novo de Sekya, estão encarregados de seguir outros caminhos, extra ou paranormais. Uma vez que ambas as vítimas parecem ter sido assassinadas durante um pesadelo, os dois decidem recorrer a um especialista: Kyoichi Kagenuma (Ryuhei Matsuda), o detetive dos pesadelos.

Ele já fora apresentado pelo diretor na primeira cena do filme quando, surgido do nada, materializou-se no sonho de outra personagem, um homem de negócios (Yoshio Harada) que está em coma em uma cama de hospital. Nos seus pesadelos, ele foi perseguido por uma filha nunca nascida, pois, sem ter lhe falado nada, a esposa abortara. Kagenuma revela este fato na tentativa de libertá-lo da sua dor e dar-lhe novamente a vontade de acordar, sendo este um pedido dos parentes do homem. Reunidos ao redor do leito do familiar em coma, eles gostariam que fosse prolongada a vida deste paciente para que ele possa assinar o testamento, ou, pelo menos, para que consigam entender quem deveria herdar a sua conspícua fortuna.

Kagenuma é um jovem sensitivo com tendências suicidas — se fosse um terapeuta profissional, diríamos, com certeza, que sofre de *burnout* —, o qual tem a capacidade de entrar nos sonhos das pessoas, percebendo os pensamentos daqueles que o rodeiam. Por estar muito deprimido e desgostoso da vida, quando Keiko e Wakamya vão vê-lo, Kagenuma os rejeita violentamente. Wakamya, decepcionado com a reação do homem, e com o intuito de encontrar o estranho assassino hipoteticamente identificado como o destinatário das ligações e, por isso, já conhecido como "Zero", resolve discar o número fatal, expondo-se em primeira pessoa às suas perversas sugestões. Arrasada, pois teme pela vida do colega, Keiko volta a implorar a Kagenuma para entrar no seu sonho e salvá-lo. Ele aceita, mas a adverte:

Kagenuma — Eu quero... quero que uma coisa fique clara. Entrar... nos sonhos das pessoas não é o meu trabalho. Só fiz para salvar pessoas que conheço dos seus pesadelos. Posso... entrar nos sonhos. Só isso, mas não posso garantir nada. Todos sempre terminam tão mal! Enfrentei coisas horríveis, repugnantes. E eu... eu não quero mais fazer isso. Você deve ter boas razões para me pedir ajuda, mas brincar com o fogo é perigoso. É perigoso para mim, mas também para quem sonha, pois poderia acordar com sérios problemas. Portanto... essa será a última vez. Você promete?
Keiko — Tudo bem.
Kagenuma — Embora eu entre na sua mente, não é certo que podemos ajudá-lo. Se algum perigo aparecer, vou retroceder. Não farei nada. Está claro? Entendeu?
Keiko — Sim, de acordo. Só quero que você fique ao lado dele. Não peço mais nada[2].

Wakamya, contudo, não obtém êxito, e morre ele próprio "suicida", pois não consegue resistir à pulsão de morte que Zero desperta na sua mente. É aqui que, pela primeira vez, o assassino é apresentado pelo diretor. Rastreado pelas suas vítimas na internet, e depois contatado através do celular, Zero as seduz para um suicídio duplo (realmente existem comunidades online desse tipo). Ele mesmo participará disso, conforme explica a cada vez, realizando uma espécie de ritual compartilhado, ainda que isto ocorra à distância. Sucessivamente, se insinua nos sonhos delas e as mata. No instante em que a vítima ataca a si mesma, é possível ver Zero se infligindo profundas feridas com uma faca. Porém, ele é uma espécie de zumbi (um não morto) e renasce sempre na mente do próximo suicida.

Após a morte de Wakamya, Keiko resolve também discar o número. Pensa, assim, em forçar Kagenuma, cada vez mais relutante, a superar os seus próprios medos para que possa

---

2   N.T.: Tradução minha a partir do roteiro em italiano citado pelo autor.

ajudá-la novamente na luta contra Zero. Como isso acontece, é possível vê-lo na cena mais dramática do filme. Após os dois ingressarem no pesadelo da jovem mulher, no final do filme um confronto impressionante acontece, envolvendo Kagenuma, o detetive dos pesadelos, e Zero, o demônio que se encontra na mente dos suicidas, e que nessas cenas duplica-se em um monstro sanguinolento e sem pele, extremamente parecido com certos modelos anatômicos dissecados.

3 O espaço do sonho

Kagenuma não sabe o que fazer a respeito da sua excepcional capacidade de entrar nos sonhos dos outros, aliás, ele a detesta: conhecer os pensamentos mais íntimos das pessoas só serve para constatar que todos os relacionamentos são falsos, inexistentes ou hipócritas. É assim que Tsukamoto os representa para nós: a esposa escondeu o aborto do marido; os filhos se interessam pelo pai apenas por causa da herança; a própria Keiko não tem relacionamentos sentimentais, é gélida e muito ocupada no trabalho, ainda mais em um contexto masculino, como se devesse ainda conquistar o direito de ser ela mesma. É um mundo zerado, estéril, não vital. Na metrópole anônima em que todos estão sozinhos, cada um vive fechado no interior do seu mundo de perfeição *hi-tech* inacessível aos outros. Ninguém encontra um significado para a própria vida. Ninguém sente que foi "sonhado" o suficiente, ou seja, que realmente tivera ou ainda tem um lugar na mente do outro.

Entre as quatro personagens, o que sabemos de Zero (interpretado com extraordinário talento pelo próprio Tsukamoto, que faz dele uma das representações do mal mais poderosas já oferecidas pelo cinema) é que assistiu à morte traumática da irmã mais nova em decorrência de uma sádica punição imposta pelo pai. De Kagenuma sabemos que teve uma mãe psicótica; desconhecemos, porém, de qual passado decorre o mal-estar de Keiko e Wakamya, mas a vida deles deve ter sido igualmente marcada por traumas, pois os dois também são privados do sentimento de ter um futuro. Entendemos que, se Keiko é levada a contatar Zero, isto é, a confrontar o próprio desejo de morrer, não é apenas para resolver o caso, mas porque ela mesma é infeliz, assim como as outras personagens.

Ao pedir a ajuda de Kagenuma, Keiko mostra ter intuído que, para recomeçar a sonhar os próprios sonhos interrompidos ou aqueles não sonhados, outra mente é necessária (OGDEN, 2008). Entende também que, para ajudar quem sofre psiquicamente, é preciso aceitar a ideia de se colocar em jogo em primeira pessoa, perder-se no outro e deixar-se habitar por seus fantasmas mais sombrios. Assim, semelhante a um *setting* analítico, o espaço do sonho se configura, desde o começo do filme, como a realidade paralela em que as personagens podem se encontrar e se conhecer como elas realmente são, e na qual podem se engajar em uma luta — que comporta o risco da vida — com os seus fantasmas mais terríveis e secretos. Neste espaço, as personagens revivem as situações traumáticas do passado e lutam com todas as suas forças para se libertar. As cenas oníricas que sucedem cada decisão de se deixar transportar pela paz "sublime" do suicídio estão entre as mais impressionantes do filme: segundos de puro terror, apresentados pelo diretor com verdadeiro talento.

No filme são definidos, assim, dois finais opostos para o pesadelo (que deve ser entendido, pelo menos, em três níveis: como psicose verdadeira, como "psicose" da normalidade e como mal-estar da civilização): voltar a sonhar — evoluindo na direção da capacidade de pensar (isto é, desenvolvendo uma função α capaz de transformar porções de elementos protossensoriais e protoemocionais em imagens e pensamentos oníricos) — ou cometer suicídio (seja de forma literal, seja através de uma vida de homens vazios). São os dois caminhos opostos de Zero e de Keiko e, entre eles, não existem cesuras claras, pois o elemento líquido, símbolo de vida e *medium* através do qual, em imagens de grande fascínio, Kagenuma transita cada vez mais para entrar no mundo onírico, corresponde também à reimersão em uma bolsa amniótica. Os momentos de fusionalidade são igualmente necessários para a separação. O movimento oscilatório entre estados de fusão (de não integração) e estados de integração do self é o mecanismo que, para a vida toda, "produz" o sujeito.

Na teoria de Bion, o ato de sonhar, uma atividade que ocorre também na vigília, equivale a pensar. Desenvolvendo as ideias de Bion, Ogden entende o termo "sonhar" como a "forma mais livre, mais inclusiva e mais profundamente penetrante de trabalho psicológico que os seres humanos são capazes de realizar [...] o meio principal através do qual alcançamos a consciência, o crescimento psicológico e a capacidade de criar um significado pessoal simbólico a partir da nossa experiência vivida" (OGDEN, 2009, p. 162-163). Quando uma pessoa começa a análise, escreve Ogden (1999a), ela "perde" a mente, isto é, entra em uma área psicológica intermediária ou terceira com o analista, e a maneira através da qual cada um gera os significados da própria experiência é afetada pela presença do outro. Para Ferro (2009), em uma posição teórica mais radical, cada elemento de realidade material se transfigura no sonho compartilhado da sessão. Assim, *Caçador de pesadelos* é uma representação sugestiva da perspectiva visual deste *espaço compartilhado do sonho.*

Na acepção dos autores acima citados, sonhar é a maneira usada pelo sujeito para atribuir um significado à experiência, além de adquirir o sentimento de continuidade do self e de confiança nas próprias percepções, ganhando aquilo que tem de mais humano: a autoconsciência e o mundo moral que deriva do desamparo do lactente e, assim, da imprescindibilidade dos cuidados parentais (FREUD, 1981, vol. II). Contudo, o espaço do sonho não é dado *a priori* por ocasião do nascimento, pois se constrói somente após uma relação[3], ou seja, nasce da internalização do processo de identificação

---

3 Cf. Winnicott (1990) e Khan (*La psicologia del sogno e l'evoluzione della situazione analitica* [1979]).

projetiva/*rêverie* que se torna possível a partir de cuidados parentais adequados. *Para adquirir essa capacidade, é preciso ser dois:* aquilo que existe de mais humano nasce e, por toda a vida, é alimentado pela *sacra conversazione* (a forma através da qual essas pinturas são frequentemente intituladas) que, nos muitos quadros de *Madona com menino,* é representada na forma de um emaranhado de olhares amorosos. Para Tsukamoto, o trauma interrompe brutalmente essa conversa, e a única chance de ser salvo consiste em reatá-la.

É a chance que Keiko está tentando agarrar. À medida que as imagens transcorrem, o filme se destaca cada vez mais como a história da transformação de Keiko e dos seus esforços para sair do ciberespaço, do pesadelo de uma não vida e do cinza de uma vida monótona e vazia, mostrando ainda como a personagem recomeça a sonhar a própria existência (e, naturalmente, conforme o próprio diretor afirma, a maneira através da qual ele exorciza, graças à arte, os fantasmas angustiantes da infância). Keiko renuncia a morrer, pois, no confronto final, consegue se enxergar refletida no olhar de Kagenuma, permitindo-lhe, assim, a reconstrução de um espaço para pensar e para sonhar a própria existência.

4 Ciberespaço

Para contar esta transformação, o filme é construído de forma a ofuscar as diferenças entre sonho, pesadelo e realidade. Muitas vezes, o espectador tem dificuldades para distinguir os dois regimes narrativos, que é a melhor maneira de experimentar aquilo que as várias personagens sentem. A princípio, o que define o sonho é a possibilidade de acordar. A incapacidade dos protagonistas de sonhar a própria existência é representada fazendo-os mergulhar no pesadelo do qual não conseguem acordar e mostrando-os como ciborgues, reduzidos a homens-máquinas, mas não na maneira espetacular e provocatória habitual do autor.

Nos filmes da trilogia *Tetsuo,* isto é, *Tetsuo I — The iron man* [no Brasil, *Tetsuo, o homem de ferro*] (1988), *Tetsuo*

II — The body hammer [no Brasil, *Tetsuo, o homem-martelo*] (1992) e *Tetsuo III — The bullet man* [no Brasil, *Tetsuo, o homem-bala*] (2009), obras que compartilham a capacidade de provocar repugnância ou entusiasmo, a hibridação homem-máquina explode na visionariedade alucinada e agressiva da fusão literal da carne e do metal. Em *Caçador de pesadelos*, ao contrário, o processo de desumanização é mais oculto, pois a ambientação é realística, e também é um processo mais explícito, eis que é interpretado abertamente como um suicídio individual e coletivo. O câncer-prótese do metal do novo sujeito imortal encontra-se representado, por um lado, pelo exoesqueleto de aço, cimento e vidro dos arranha-céus de uma metrópole em cujas veias fluem, de forma contínua, à noite, fileiras e fileiras de carros com os faróis acesos — alegoria do mundo escuramente luminoso dos sonhos —, e, por outro lado, pelo celular, ferramenta aparentemente inócua. Enquanto órgão acessório do homem hipertecnológico, o celular — objeto fetiche, enxerto mecânico do qual ninguém hoje saberia se privar, quase integrado ao órgão da audição e já expandido para ser olho fotográfico e cinematográfico, armazenamento de memórias, nó da rede e de todas as comunidades online — talvez seja o verdadeiro protagonista do filme. Em imagens que satisfazem a mesma função narrativa e retórica, mas cada vez levemente diferentes, o diretor nos mostra Keiko tanto no celular quanto tendo como pano de fundo uma Tóquio que parece o monstro parido pela utopia da hipermodernidade. A expulsão da natureza por parte da metrópole se conecta à anulação da humanidade nas pessoas, bem como aos traumas cujas feridas elas carregam.

Casas, carros e celulares. Poderíamos imaginar objetos mais familiares para representar o deserto afetivo da paisagem urbana moderna? Não se trata mais, em suma, da barra de ferro que o protagonista de *Tetsuo I* se enxerta insensatamente na perna e que precede a sua metamorfose completa em uma máquina destrutiva, a qual, no fim, também engole a cidade. As sequências oníricas fascinantes penetram sem solução de continuidade nas imagens levigadas de uma Tóquio reduzida à terra desolada, surrealmente esvaziada de habitantes. Os enquadramentos dos arranha-céus, sempre filmados de baixo para cima de forma a ressaltar o seu efeito hostil e opressor, constelam o filme em intervalos quase regulares e capturam o olhar do espectador, assim como Zero faz hipnoticamente com os seus desesperados contatos, como se dissesse que, desde o pesadelo da noite, cada um passa ao pesadelo da vigília sem nunca acordar realmente; assim como, partindo do mundo particular e inacessível do sonho/pesadelo individual, se chega ao pesadelo da sociedade.

O celular alude eficazmente à solidão existencial das várias personagens e ao novo mal-estar da civilização. Além disso, é sinônimo da rede e do ciberespaço. Graças ao Skype e ao Viber, já é possível ligar pelo celular passando pela internet. Zero é o primeiro número de qualquer ligação. Discar um número dos contatos quer dizer não guardar mais o rastro na memória e reforçar cada vez mais a dependência do aparelho. Ademais, na vida cotidiana, não existe conversa que não seja interrompida por uma ligação, um e-mail ou um torpedo no celular. Embora já passe despercebido, a intrusão é violenta. De repente, alguém assume uma atitude ausente, entra em uma espécie de "Realidade Virtual" e dialoga com os seus fantasmas. Acaba se retraindo, "suicidando-se" da relação; ao mesmo tempo, petrifica o outro, colocado, por assim dizer, em stand-by. O espaço psicológico comum é zerado e todos se projetam no ciberespaço. Para a retórica fílmica, o celular — quem não tem um no bolso? — é também o dispositivo metonímico que captura os espectadores e permite transpor o limiar que conduz para dentro do filme, algo que na narratologia é conhecido como metalepse, criando ciborgues virtuais.

Mesmo quando nos coloca diante do horripilante, do sem forma e do abjeto, e parece que deseja sacudir o espectador levando-o ao limite do repulsivo e do repugnante, o mundo que Tsukamoto revela através de imagens perfeitas é sempre resgatado por um intenso sentimento de beleza. A escavação em profundidade que o diretor realiza nos recessos mais obscuros do humano possui uma intensidade que poucos outros autores conseguiram alcançar. As suas obsessões continuam sendo o trauma, a angústia, a psicose e a morte. Contudo, enquanto nos primeiros filmes isto era desorientador, extremo, irritante, caótico e grotesco, aqui Tsukamoto atenua a violência das suas invenções (devido aos seus extremismos, trata-se de uma linguagem talvez mais adequada ao público da videoarte). Desta forma, ele recria o clima sutil do familiar e, por conseguinte, do estranho freudiano.

Em uma cena inesquecível, agachado de braços abertos na beira de uma pia, Zero brande com a mão esquerda um celular e, com a direita, uma ameaçadora faca. O celular fere a identidade humana, assim como a faca mutila o corpo. Os objetos são representados como intercambiáveis: ambos são símbolos de morte e de renascença, uma espiritual e a outra material. Tsukamoto passa da faca ao celular, usando assim o aparelho como se fosse uma faca. Uma poética do desgosto e do grito se transforma em outra poética, mas da angústia e da inquietude. Nem mesmo nesse mundo uma certa comicidade se faz ausente. Alguém observou a estranha semelhança da expressão atônita e fixa do rosto de Tsukamoto com aquela de Buster Keaton. Como não pensar que o diretor esteja zombando do espectador, mas parodiando a si mesmo e ao seu cinema, quando faz vomitar Keiko diante do espetáculo da cena do corpo mutilado e ensanguentado da garota morta?

Em *Caçador de pesadelos*, a solução ciborgue é mantida disfarçada. Ela é mais insinuada do que explicitada, exceto na clara homenagem ao Cronenberg de *Crash* [no Brasil, *Crash, estranhos prazeres*] (1996) em uma das cenas finais, mas bem evidente à luz dos outros filmes do autor e das suas declarações de poética. Mas, por que o ciborgue? Quando o manifesto ciborgue (HARAWAY, 1991) imagina uma humanidade imaterial, insinua que a consciência e a memória poderão ser transladadas como um software, migrando de um corpo para outro. Desencarna o pensamento. No fundo do imaginário hipertecnológico do ciborgue está uma fantasia, aliás, um projeto explícito de autogeração por meio de *disembodiment* e de *mind uploading*, de clonagem, de recombinação transgênica, de remodelamento do corpo (transformado já em corpo "vestido") e de identidade virtual. De fato, o ciborgue é imaginado como um ser que se autogera e que, portanto, não precisa do outro, uma vez que não nasce e não morre. Os ciborgues não sonham, pois, para sonhar, isto é, para construir o espaço do sonho, é necessário ser dois. *Por isso, o ciborgue transforma-se em uma figura moderna da incapacidade de sonhar*, das áreas não vitais da mente e da falsidade da existência.

O fantasma da autogeração faz com que o mundo ciborgue seja muito útil para metaforizar as paradas evolutivas que, na ausência de uma adequada resposta do outro (que assume um valor traumático), levam a criança a construir defesas autistas ou usar a máscara de uma personalidade artificial e hiperadaptada, ou seja, conduzem à autorregulação das próprias emoções: neste sentido, por analogia, levam a criança a *se autogerar*. É como se os momentos de compartilhamento emocional não tivessem sido substituídos, de forma suficiente, ao estado de fusão física com a mãe. Autogeração, assim, significa falta de reconhecimento adequado, carência crônica de sintonização afetiva e, por conseguinte, construção deficitária do Eu. É o queloide que cobre a ferida, tirando a mobilidade e a sensibilidade do membro do corpo. Por isso, implica também um risco de perversão, pois corrói a base afetiva e relacional que, excluindo qualquer referência à transcendência, é a única fundação científica confiável para a ética.

A utopia ciborgue ignora que a história experimentada por aquele corpo — a partir das fases da vida em que, enquanto veículo da comunicação mãe-criança, domina a sensorialidade — é um elemento essencial do self. Ignora que o Eu, para Freud, é uma projeção das superfícies do corpo ou, poderia se dizer, uma pré-concepção da psique. A insistência no corpo, inspecionado, seccionado, martirizado, mutante e erótico do cinema de Tsukamoto está presente também em *Caçador de pesadelos*, sendo outro indício que enfatiza esta elementar verdade, levando a ver, no imaginário do filme, uma referência simbólica ao estágio de desenvolvimento em que ocorre a primeira constituição do espaço do Eu por parte da sensorialidade, daquela interface bochecha/seio, "uma área de sensações de qualidade calmante" (OGDEN, 1999b, p. 122). Assim, o mundo incorpóreo do ciborgue não é senão uma figura do pré-humano, daquilo que precede a criação de um espaço do Eu e que não foi sonhado. É o futuro do nosso passado mais antigo, de quando a psique ainda não residia no corpo. Nos dois casos, falta a história, no sentido de narração ou de competência narrativa, aquele elemento que transforma as atrocidades dos contos de fada em alimento para a mente, assim como faltam, nas crônicas do jornal, fatores de embotamento da sensibilidade ou até mesmo injeções microtraumáticas de doses cotidianas de mal-estar. Os fatos se tornam relato apenas se não forem cindidos das emoções que, sozinhas, podem lhes conferir um significado. Apenas é possível sonhar/dar-sentido-às-coisas se existe um espaço para o sonho.

Se é possível considerarmos o ciborgue na acepção mais ampla empregada até agora, como uma metáfora de formas de existências ausentes ou fracassadas, e se considerarmos o processo que leva ao seu desenvolvimento como a autogeração de um escudo metálico para o self mais autêntico, duro e não elástico, nunca foi tão verdadeiro que o sofrimento psíquico também é uma prefiguração da real alienação tecnológica da sociedade em que vivemos. O homem-ciborgue é uma mistura de futuro e de involução. A cada nova habilidade que ele adquire, sempre existe um preço a ser pago. Como nas mitologias dos super-heróis, no passado do mutante há sempre um grave trauma e, no seu presente, existem a solidão e a inaptidão para a vida afetiva. A aquisição de novas e extraordinárias capacidades conduz à perda de outras qualidades especificadamente humanas. O hiperfluxo sensorial não encontra mais uma função α capaz de transformá-lo em pensamento.

5 Suicídio

Até este momento, observamos que as várias personagens do filme não conseguem sonhar e que, portanto, são desumanizadas, sendo o seu estado de alienação contado por Tsukamoto através do mundo imaginário *cyberpunk*. A tecnologia pode ser usada para se defender da dor (como é possível ver nas formas de dependência da internet), mas, ao mesmo tempo, uma sociedade cada vez mais tecnológica corre o risco de ser, ela mesma, um fator de trauma. Aqui aparece o tema tão central no filme, mas também da nossa prática clínica: o suicídio. Todas as personagens principais do filme procuram o suicídio como uma maneira de voltar a serem humanos, para reencontrar um contato primitivo com o objeto, e de voltar a se sentirem vivos. Zero não responde as ligações das pessoas que, como Sekya, não abrigam em si este impulso de anulação; ele responde, ao contrário, a quem, como Wakamya, possui tal impulso dentro de si sem saber. Quando fala com Zero, o virtual suicida se espelha em si mesmo, encontra o seu duplo, consegue abrir-se e falar de coisas mais íntimas, exatamente como acontece quando alguém conversa por chat com um desconhecido. Cada vez que o contato é bem-sucedido, como se chegasse de um passado remoto e espectral, por alguns segundos é possível ouvir, no celular, a voz indistinta de uma criança invocando ajuda. Naquele instante, entendemos que o trauma antigo, nunca superado, encontrou finalmente a sua solução dramática.

É muito significativo que a perspectiva para a qual Zero leva as suas vítimas é a realização de suicídio duplo. A fantasia de um suicídio a dois nega ao sujeito também a possibilidade-limite de se realizar na morte como um ser distinto, colocando-se como a defesa mais extrema da ausência do reconhecimento, ou seja, do desejo do outro: é tanto um triunfo vingativo sobre o objeto — após Freud, cada suicídio é suspeito, revelando um segredo mandante e também uma vítima não óbvia —, quanto uma expiação e *zeramento* de todas as tensões. Fundir-se com o metal é algo visto como um suicídio, correspondendo, para o sujeito, à aspiração de mergulhar novamente no indiferenciado, à regressão simbólica até o estágio inicial da vida em que se separa do corpo materno, a sua primeira pátria e residência (FREUD, 1981, vol. IX). Neste sentido, observamos no pós/trans-humano uma paisagem sombria que já nos é familiar, o espaço limítrofe em que todas as fronteiras vacilam, a condição pré-humana em que os contornos do Eu eram ainda indefinidos.

Além disso, a violência terrível do gesto e a modalidade de execução relembram o *topos* da decapitação, muito presente na literatura, nas artes figurativas, no cinema (é suficiente pensar em *Caché* de Michael Haneke, 2005). Graças a essa cena e a outras parecidas, Tsukamoto se insere em uma rica tradição iconográfica (KRISTEVA, 2009), deixando a sua marca. A imagem da lâmina que corta as veias do pescoço retoma a temática da contaminação entre carne e metal e, inversamente, é a tecnologia que se torna uma figura da decapitação.

O que deveria ser entendido por decapitação pode ser visto em duas breves sequências dignas do melhor Tsukamoto, o diretor corrosivo, provocatório e descontrolado visionário de *Tetsuo I* (1988), filme que chamou a atenção mundial para o seu nome. As cabeças dos familiares do homem em fim de vida no hospital e depois a cabeça de alguém que passa na rua, parecidas com os manequins de De Chirico, começam a oscilar de forma paroxística em várias direções, como se de repente sofressem espasmos violentos, até que toda a pele é tirada e sugada na cavidade da boca. É uma imagem extraordinária do bombardeamento sensorial que não consegue se tornar pensamento e desintegra a mente. São as nossas cabeças sempre conectadas (wired), estimuladas, sem mais filtros e barreiras, outros nós da rede. É o assédio contínuo de e-mails, spams, mensagens de texto e multimídia, vírus, worms, etc.

Esta é a sensação insuportável de "cabeça cheia" que muitos pacientes relatam ao se sentirem invadidos por emoções incontíveis. Quando existe uma capacidade limitada para pensar, tanto devido a um deficit evolutivo, quanto a um hiperfluxo de estímulos (elementos α), o congestionamento de sensorialidade pode dar origem a sintomas, por exemplo de tipo autista ou esquizoide, ou à construção de um falso self. O sujeito em parte se desumaniza e vive uma existência apagada e sem autenticidade. Tais defesas são como próteses aplicadas a um Eu frágil, "tecnologias" autoproduzidas. Podem ser definidas como "autogeradas", pois não são o fruto da dialética normal do reconhecimento. Não nascem *com* o outro, mas *como uma reação* à carência de experiências suficientes de momentos de sintonia afetiva necessárias para construir uma consensualidade do órgão-consciência em relação à percepção das qualidades psíquicas e para alcançar um grau suficiente de integração psicossomática (ou, como Winnicott fala, de "colusão psicossomática").

O paradoxo consiste no fato de que é o recalque tecnológico e/ou psíquico — ou, conforme observamos, por suicídio — da consciência da morte, como limite intransponível da existência, o que torna o homem alheio a si mesmo, fazendo-o morrer como homem. A essência da humanidade reside nesta consciência, assim como na percepção da transitoriedade de todas as coisas, no sentimento de tempo e no contínuo trabalho da memória. Não a memória entendida como gravação digital imóvel, mas aquela vivida e emaranhada de emoções que é o contrário do sonho de imortalidade do manifesto *cyberpunk*, capaz de afundar a história em um presente atemporal. Aquilo que o homem possui de mais humano no homem é que ele sabe que vai morrer. Como escreve Benjamin, somente a morte confere sentido à história, isto é, à vida.

Talvez seja esse o sentido último do filme. *Caçador de pesadelos* não diz apenas respeito a pessoas infelizes e traumatizadas, nem se trata somente da visão de um futuro apocalíptico, mas é também uma metáfora do pesadelo da normalidade e daquele que pode ser definido como o sono da vigília ou, na linguagem de Bion, um estado em que prevalecem as transformações em alucinose, isto é, as percepções formalmente corretas, mas privadas de um significado verdadeiro. Com os seus filmes-choque, Tsukamoto desperta o espectador deste sono habitado por monstros, conduzindo-o desde o pesadelo da vigília até o sonho da vigília, convidando-o a sonhar a si mesmo na existência (OGDEN, 2008): "Zero, sou eu", explica em uma entrevista, "ao contrário, a vítima é o espectador que vive achatado em uma vida banal. Mas eu mostro para ele um pesadelo, e, dessa forma, a vida e a morte lhe parecem eventos extraordinários"[4].

---

[4] N.T.: A entrevista original encontra-se em inglês no DVD do filme utilizado para a análise.

CAPÍTULO V

A tela do sonho e o nascimento da psique em *Persona* de Ingmar Bergman[1]

"Desde que se toma consciência, se produz uma corrupção decisiva, uma falsificação, um achatamento, uma vulgarização" (NIETZSCHE, 2007)[2]

1 Este capítulo é baseado em Civitarese (2011b).
2 N.T.: NIETZSCHE, F. *A gaia ciência*. Tradução de Antonio Carlos Braga. São Paulo: Escala, 2006, p. 222.

1 *Persona*

No meio de uma representação da *Electra* de Sófocles, Elisabeth, a protagonista de *Persona* (1966) de Bergman, paralisa, cai em uma risada irrefreável e, depois, se fecha em um mutismo obstinado. Ela é hospitalizada em uma clínica, onde a psiquiatra responsável a declara física e mentalmente saudável, além de confrontá-la de forma dura com a sua covardia e de admoestá-la acerca dos seus deveres. Contudo, acaba por confiar a mulher aos cuidados carinhosos de uma jovem enfermeira, Alma, colocando, à disposição das duas, a sua casa de férias na ilha de Faro, para que passem lá um período de descanso. Ao longo da estadia, as duas mulheres se tornam cada vez mais íntimas, entrelaçando as suas vidas. Elas têm em comum o mesmo trauma: uma confessa ter desejado a morte do filho, a outra admite ter abortado. Como em um *setting* de análise, é possível observá-las experimentando desde momentos de idílio até outros de ódio absoluto. Com o passar do tempo, elas se assemelham cada vez mais. Em uma cena justamente famosa, vemos seus rostos se sobreporem um ao outro.

No filme, tanto o sonho e a vigília quanto a realidade e a ficção se misturam continuamente. Elisabeth é o sonho de Alma ou vice-versa? São duas pessoas distintas ou uma única pessoa? Onde termina uma e onde começa a outra? O que significa quando afirmamos que, para alguém se tornar uma *persona*[1], é preciso usar uma máscara? É mais real a arte ou a vida? Qual é o sentido da existência? O que é verdade, o que é mentira? Essas são apenas algumas das perguntas suscitadas por este filme de incrível complexidade.

Em um ensaio involuntariamente cômico de alguns anos atrás, um crítico italiano se atormenta tentando estabelecer se *Persona* representa, para o autor Bergman, um avanço ou uma regressão, e conclui que estamos diante de uma obra "nem bela nem feia" (*sic*!). Em resenhas e comentários existe quem reconduza tudo à luta de classe, à moral ou à civilização sueca da época, à situação existencial que estaria lá difusa, à típica frieza daquele país, e assim por diante.

O ponto é que *Persona* se presta para tantas interpretações (sociológica, estética, religiosa, simbólica, psicanalítica, psiquiátrica, etc.) que coloca o crítico em uma posição impossível, acabando por representar, por si só, uma espécie de paródia da crítica. De fato, o filme leva os comentaristas a se sentirem como se estivessem em um terreno escorregadio, ridicularizando-se ao tentarem permanecer no nível da compreensão lógico-racional. Por exemplo, isso acontece quando pretendem explicar o motivo pelo qual o marido de Elisabeth, ao chegar para visitar a ilha, se dirige à Alma como se fosse a sua esposa. Desse ponto de vista, é o equivalente, talvez só mais amargo, da história contada por um palhaço triste, presente no filme *8 e ½* de Fellini. No filme do diretor italiano, Guido, o protagonista, imagina enforcar o pedante crítico; joga fora, incomodado, as anotações desse, fantasia suicidar-se na coletiva de imprensa e responde com irritação às solicitações dos colaboradores.

---

1   *Persona* é o nome, a partir da expressão *dramatis persona*, da máscara usada pelos atores de teatro da antiguidade romana.

Persona é ainda mais severo, possuindo a mesma rigidez estilística e moral de Dreyer, Bresson, Haneke.

Ao contrário, uma alusão direta e interna ao filme, e não mediada pelos efeitos irônicos e ilusionistas concebidos por Bergman, daqueles que poderíamos definir como as misérias da interpretação — pelo menos, da interpretação que pretende alcançar um sentido definitivo —, pode ser captada em vários momentos-chave relacionados com uma espécie de princípio de objetividade. Por exemplo, podemos ver isto no discurso da psiquiatra que se coloca como uma espécie de supereu moralista, tão acirrada, assertiva e não empática, parecendo quase falsa, cujo discurso acaba sendo recebido com silêncio satírico por Elisabeth; ou então na *carta* da própria Elisabeth à psiquiatra, que provoca, não por acaso, a reação violenta de Alma, a qual se sente tratada como uma coisa: "Me diverte estudá-la", está escrito. Pertence a essa série também o trecho sobre a condição de infelicidade dos seres humanos do livro lido por Alma e que proclama para Elisabeth, trecho este que parece um esforço patético da razão de captar o sentido da existência. Alma, de fato, comenta que não acredita nisso. Nessas cenas do filme, o autor expressa a própria desconfiança para com as palavras e com a racionalidade.

É verdade que, após o cinema de Stan Brakhage e de David Lynch, o qual, aliás, se inspirou nesse filme para *Mulholland Drive* [no Brasil, *Cidade dos sonhos*] (2001), alguém poderia até mesmo entediar-se, uma vez que estamos acostumados a qualquer tipo de desafio no plano dos mecanismos narrativos. Contudo, o filme de Bergman pode induzir, além de sentimentos de admiração, uma boa dose de frustração também em espectadores mais calejados. O desconcerto, aliado à surpresa pela maturidade e pela originalidade da obra, pode ser entendido ainda mais se pensarmos no ano da sua estreia, 1966. Trata-se do ano em que, para muitas famílias, chega pela primeira vez a televisão, em uma época ainda não dominada, como o período em que agora vivemos, pelo fluxo constante das imagens de várias mídias e por inúmeros tipos de experimentação narrativa (pensemos no recente filme *Inception* [no Brasil, *A origem*] de 2010, no qual não somente é representado o mundo do sonho, mas é encenado também o sonho dentro do sonho e, além do mais, o sonho induzido).

De qualquer forma, o segredo do filme poderia residir exatamente nesse aspecto de indecifrabilidade, de ambiguidade ou de desafio para a interpretação. Se fosse assim, é claro que não faria sentido revelá-lo no plano do conteúdo, resolver os enigmas do qual o enredo está repleto, mas, pelo contrário, fazê-lo em um plano metanarrativo, isto é, enxergá-lo como uma meditação dolorida acerca da possibilidade ou não de construir um sentido e de *como* construí-lo, ou ainda acerca da natureza artificial ou do *como se* da percepção e, portanto, da subjetividade. Obviamente, é também inevitável não fazê-lo. É necessário cair na armadilha da busca do significado e passar pela experiência da sua não alcançabilidade para, então, acessar o segundo nível, por assim dizer, "em espelho".

2 O rosto

Bergman sugere esse caminho com a insistência autorreflexiva nos meios da representação. No filme, desfilam a rádio, a tevê, o cinema, a película, o teatro, o livro, a fotografia e a escrita. Também é importante a pintura, se pensarmos na beleza de certas imagens, como, por exemplo, as duas mulheres enquadradas de forma semelhante a um díptico na moldura das folhas de uma janela, etc. A mesma função é desempenhada pelas contínuas metalepses, isto é, as transgressões das molduras narrativas e da lógica que as governa. Existe um ponto preciso, porém, no qual essa temática se conecta àquela mais especificamente psicológica, ou se poderia dizer ontológica, da percepção e da representação psíquica, no sentido de como seria possível formar imagens do mundo e desenvolver a autoconsciência. Esse ponto de intersecção entre os dois planos está no prólogo que precede a entrada em cena de Elisabeth.

Um menino acorda como se estivesse no leito de um morgue, mexe o lençol, coloca os óculos, algo o distrai. É possível vê-lo em contracampo no momento em que estende a mão para tocar uma tela em que aparece a visão desfocada e amplificada do rosto da mãe. Tenta tocá-la, mas não consegue. A imagem se confunde com a de Alma. O rosto de uma desaparece dentro do rosto da outra, e ambos são realmente difíceis de focalizar. No último fotograma, o rosto apresenta os olhos fechados.

Bergman nos oferece muitas sequências memoráveis. A lista seria comprida, mas é suficiente pensar desde os sonhos em *Il posto delle fragole* [no Brasil, *Morangos silvestres*] até o jogo de xadrez em *Il settimo sigillo* [no Brasil, *O sétimo selo*] (observe-se, *en passant*, que a figura da morte nesse filme se parece muito com aquela de Elisabeth/Ullmann vestida de preto em uma cena de *Persona*). No entanto, essa cena é uma das mais extraordinárias não somente da filmografia de Bergman, mas de toda a história do cinema.

Ao assistir ao filme, essa imagem e uma ideia se impuseram na minha mente por um instante: que a frustração do espectador seja igual à da criança. *Criança e espectador estão na mesma posição emocional.* A tensão dramática de *Persona* nasce das polaridades representadas por dois momentos-chave do filme: o menino que olha para os rostos de Elisabeth e de Alma, uma cena que evoca a visão cinematográfica no seu mágico acender-se e desligar-se, e o instante em que, em uma sequência sucessiva, Elisabeth rasga com raiva a foto, enviada pelo seu marido, desse filho não desejado e, de certa forma, origem do seu mal-estar sombrio. Também neste caso, a foto não fala apenas da vicissitude biográfica de Elisabeth, mas alude à representação, ao pensamento, às imagens do sonho. É oportuno, assim, tentar entender a peculiaridade do ponto de vista do menino e, reitero, do espectador.

Quando o rosto da mãe aparece, o menino acorda de um sono que, devido à ambientação de câmera mortuária, é muito parecido com a morte, mas podemos pensar também naquilo que precede a autoconsciência, isto é, o desenvolvimento da mente. A desproporção — uma solução narrativa genial! — existente entre as dimensões dos rostos, grandes como a parede de um quarto, e o corpo do menino não pode senão induzir, pelo menos aos olhos de um analista, a colocar a cena no tempo mítico do nascimento da psique e do primeiro relacionamento da criança com a mãe, ou do lactente com o seio.

Após ter visto essa cena, limitando-nos ao campo teórico da psicanálise, que constitui a moldura específica da minha leitura, é impossível não pensar em Meltzer (MELTZER, 1981; CIVITARESE, 2011a) e na sua teoria do conflito estético. O bebê, afirma Meltzer, é fascinado pelo rosto belíssimo da mãe, mas é dilacerado pois se pergunta o que ela esconde na sua mente ou dentro de si mesma, e se nos seus pensamentos secretos ela o ama realmente. Somente se esse conflito encontrar uma solução adequada o bebê conseguirá conquistar um equilíbrio psíquico suficiente e a capacidade de viver as emoções. O terror da perda se dilui na nostalgia com a qual acaricia o mundo com o seu olhar. Para aproveitar a plenitude da existência, da qual a experiência estética também faz parte, é preciso aceitar a ideia de que ela terá um fim. O sentido da vida (tautologicamente falando) é vivê-la, e a beleza reside na transitoriedade de todas as coisas.

Pensemos nas tantas *Madonas com menino* que fazem parte da pintura clássica. Todas representam obsessivamente esse eixo central para o desenvolvimento da mente. *Persona* é a *Madona com menino* de Bergman. De qualquer forma, após ter visto essa cena, podemos ter a certeza de que sabemos, ou melhor, intuímos o que é o cinema do ponto de vista psicológico. Assim, de uma perspectiva psicológica, assistir às magias do cinema não é outra coisa senão contemplar ou sonhar o rosto da mãe, buscando o sentido das coisas. Bergman sugere a ideia de forma bastante explícita.

Contudo, ela foi antecipada, de certo modo, por Bertram D. Lewin, um analista estadunidense que, em 1946, falara a respeito do seio (segundo Spitz, o rosto) da mãe como aquilo que constitui a tela do sonho.

Para Lewin, a tela do sonho representa o seio durante o sono. Geralmente ela é obscurecida pelos conteúdos visuais dos derivados do pré-consciente e do inconsciente, assim como a tela do cinema é escondida pelas imagens que nela são projetadas. A tela vazia é o próprio sono, a reprodução do primeiro sono do lactente satisfeito no seio. Sassanelli observa:

> O desejo de dormir teria, assim, para Lewin, uma específica representação onírica que, se não fosse ofuscada pelos conteúdos visuais (nos assim chamados sonhos em branco, visualmente vazios e acompanhados por sensações derivantes de outros campos perceptivos), expressaria a realização do desejo de união-fusão com a mãe (SASSANELLI, 1987, p. 333).

A tela do sonho, suporte estável no qual são projetadas as imagens oníricas que, ao contrário, são caleidoscópicas, é criada se o bebê vivenciar experiências suficientes no sentido de ser gratificado pela mãe, de ser consolado e de ser satisfeito nas suas necessidades. Se ele encontrar a *rêverie* materna, internaliza a capacidade de conter as suas emoções. Lewin imagina que o bebê recém-amamentado (vivenciando uma espécie de êxtase) carrega para o sono, e depois para o sonho, a superfície branca do seio. Nasce, assim, a possibilidade de formar símbolos. Se, ao contrário, a tela for um buraco negro, os símbolos são sugados para dentro. Conforme escreve Eigen (2001, p. 18): "Um alimento traumatizante, ou a ausência de alimento, se transforma em uma angústia espectral, um afeto atormentado, uma não afetividade mutilada, um nada horrível".

Também outros autores, como Winnicott (1990) e Khan (1975), falaram, depois de Lewin, do espaço ou do lugar do sonho como sendo algo que precede o desenvolvimento da capacidade de sonhar e que precisa ser construído de forma intersubjetiva. A ideia é que são necessárias duas mentes para criar uma. Isso é também algo bastante intuitivo. Sem a contribuição materna, se considerarmos que tal condição pudesse ser compatível com a vida, o sonho permaneceria, por absurdo, como uma atividade neurofisiológica completamente desligada de qualquer possibilidade de sentido.

Contudo, o sonho, assim como o entendemos, é feito de imagens que, independentemente da concepção de Freud, em época pré-analítica, foram sempre vistas como significativas. O sonho sempre comunica algo, nunca é vivenciado como caos absoluto, não importa a sua fragmentação. É possível reconhecer, pelo menos, objetos e estilhaços de sentido. Embora incompreensível, é sempre possível atribuir-lhe uma linguagem.

Para constituir a tela ou espaço do sonho, o pano de fundo que permite representar a realidade, a mãe deve ajudar o bebê, que ainda não possui esta capacidade, a organizar o fluxo desordenado de estímulos que lhe chegam do mundo externo e de dentro do corpo. O rosto da mãe se torna uma espécie de atrativo, organizador, esquema, moldura que oferece essa possibilidade de canalizar o fluxo das sensações. No filme, Bergman mostra a tela do sonho, identificando-o na película ou nos outros dispositivos da projeção.

Por isso, proponho identificar o ponto de vista da criança como sendo o do espectador. A criança — mas reitero, deveríamos pensar mais em um lactente, embora o processo interpessoal de construção da subjetividade que se baseia na dialética do reconhecimento e da negação nunca tenha fim ao longo da vida — está na busca de um sentido que lhe aparece enigmático e inalcançável. Algo idêntico pode ser dito sobre o espectador. Cada um deles é confrontado com a enigmaticidade do enredo e das imagens, tendo a tarefa de dar um sentido pessoal àquilo que vê. O sucesso não é garantido. Assim como ocorre para o bebê que se apresenta ao mundo pela primeira vez, trata-se de um desafio.

3 Enigma

Também um crítico cinematográfico como Peter Cowie, "uma autoridade sobre Bergman" (MICHAELS, 2000), se sentiu estarrecido por *Persona*, e escreveu que qualquer coisa dita a propósito pode ser contradita, e que o oposto será também verdadeiro. Se os opostos são válidos, quer dizer que não existe uma hierarquia de sentido, e que esse não pode ser decidido. Por isso, ao evidenciar as quedas, as insuficiências e os vazios, *Persona* pode ser lido como um filme acerca da desconstrução da subjetividade, ou seja, de como nasce a psique e daquilo que pode obstaculizar o processo.

Tentemos observar, de maneira mais detalhada, como Bergman obtém esse efeito. Oscilações entre cisão e síntese, dispersão e reunificação, desintegração e integração, caos e ordem, dissintonia e uníssono constelam todo o filme. No começo, um fluxo de fragmentos de imagens alude ao nascimento da psique, de modo verossímil, em um estado oniroide-alucinatório. Uma sensorialidade caótica aguarda um princípio ordenador. Sons e luzes esperam para serem organizados em invólucros visuais e acústicos. Uma cascata ensurdecedora de estímulos procura o leito de um rio. A mente alfabetiza o real (O, a coisa em si, o infinito), transformando-o no rosto da realidade suficientemente coerente através do qual nos movimentamos na vida cotidiana. *Sonhando-o*. Constrói-se o cinema da mente. Mas uma tela é necessária. A tela é o rosto da mãe. O rosto é naturalmente feito de sons, corporeidade, sensações tácteis, acústicas, visuais. Trata-se da interface sensorial com a qual se apresenta o mundo, mas junta e inextricavelmente também é a interface emocional. Quanto fomos desejados (sonhados) pelos nossos pais? Como nascemos nas suas mentes? Quanto se deseja ou não dar vida a um filho? Como um sentimento desse tipo impacta a sinfonia ou o ruído no qual a criança está imersa desde cedo, de fato já no útero?

No filme, o sonoro metaforiza o visual e vice-versa, e ambos representam a qualidade emocional das relações entre as várias personagens. Os dois são continuamente decompostos e recompostos. Notas de composições que fazem pensar no período dodecafônico se alternam com faixas musicais mais estruturadas. Na realidade, a música é de Lars Johan Werle, autor contemporâneo e músico de vanguarda, representando o último tremor do terremoto que, entre o século XIX e XX, engole qualquer visão unitária sobre o mundo e inaugura a era pós-metafísica da "morte de Deus" anunciada por Nietzsche (2007) em *A gaia ciência*. Fragmentos de som quase intoleráveis, essenciais, primitivos, como se ainda não transformados, próximos do ruído, alternam-se com as notas do *Concerto em Mi* para violino e orquestra de Bach. Uma observação de Winnicott dá a medida da importância que revestem, neste nível, o ritmo e a harmonia enquanto protocontinentes psíquicos: "Inerente a este sentimento de desamparo [quando do nascimento], é a natureza intolerável de se experimentar alguma coisa que não se sabe quando terminará [...] É fundamentalmente por esta razão que a forma na música é tão importante. *Através da forma, o fim é avistado desde o início*" (WINNICOTT, *Ricordi della nascita, trauma della nascita e angoscia*, 1975, p. 223)[2]. A forma torna tolerável (pensável) o sentimento de desamparo, mas é necessária a consciência do fim (da morte).

Essa oscilação é o respiro da vida. Do caos até a ordem e vice-versa. Cada vez que isto acontece, o impulso que traz de volta o caos é provocado pelas emoções ainda não pensadas/contidas. As emoções têm sempre a ver com uma relação; no filme, entre o menino e a mãe, entre Elisabeth e o marido, entre Elisabeth e Alma. Momentos de uníssono são inter-

---

2 N.T.: WINNICOTT, D. W. Recordações do nascimento, trauma do nascimento e ansiedade. *In*: WINNICOTT, D, W. *Textos selecionados:* da pediatria à psicanalise. Tradução de Jane Russo. Rio de Janeiro: Francisco Alves, 1978, p. 327.

rompidos para ceder espaço a crises violentíssimas. A atriz e a sua enfermeira chegam a se comportar como animais cruéis e aterrorizados em um quarto, como afirma Bion a propósito do paciente e do seu analista. Arranhões, mordidas, fotos rasgadas, estilhaços de vidro no chão, água fervente. Trata-se de metáforas concretas, daquilo que rasga a tela da mente (do sonho e do pensamento), o pano de fundo estável, não processual, através do qual fluem as percepções e as representações. É possível acompanhar como isso acontece na cena central em que as duas mulheres se olham com ódio. A emoção é tão violenta que fura a tela do sonho. De forma genial, Bergman mostra isso por meio de uma animação. Os fotogramas literalmente queimam e se amassam sobre si mesmos. Assim também queima a película do pensamento. Não se consegue mais representar (pensar) ou se consegue fazê-lo apenas no grau zero da alucinação, que constitui algo ainda dotado de sentido ou até mesmo de significado, o último baluarte antes da morte física.

Resumindo, existiu uma catástrofe inicial de não continência dos medos da criança devido à qual o rosto da mãe se infinitiza. O continente desaparece por trás de uma tela. A criança vivencia a experiência desesperadora da perda de sentido. Aos seus olhos, Elisabeth e Alma poderiam representar dois rostos diferentes e opostos da mãe. Por um lado, rejeição e frieza, e, por outro, calor e reconhecimento. O filme poderia ser visto como o esforço da criança — com a qual o diretor se identifica, e com ele também o espectador (uma maneira de dizer que os verdadeiros protagonistas do filme são aqueles que ficam aquém da tela!) —, de integrar as duas figuras e as emoções opostas por elas suscitadas, aquilo que a psicanálise designa com o termo "ambivalência afetiva". A série de opostos espalhados pelo filme também nos faz pensar nisso: branco/preto, mar/terra, fotografia/cinema, silêncio/palavra, música/ruído, presença/ausência, consciente/inconsciente, ilha/continente, Alma (etimologicamente, aquela que faz crescer, alimenta; a alma, o amor)/Elisabeth

(Electra, o ódio), etc. Aceitar a contradição dos nossos sentimentos mais intensos significa ser capaz de ver a noite no dia e o dia na noite. Não por acaso, o aspecto formal mais impressionante do filme é o jogo do claro-escuro nos rostos, assim como dos dois invólucros sonoros. É como espiar espasmodicamente o segredo que eles escondem. O outro aspecto evidente é que os rostos são belíssimos, uma maneira de transmitir a intensidade da agonia do conflito estético.

Mas o que pensar a propósito do sofrimento de Elisabeth-Alma?

Como a criança, também Elisabeth-Alma é tocada pelo trauma. O seu rosto (o rosto da mãe, a sua presença confortante) desaparece, pois ela mesma poderia sofrer por não ter sido amada. No começo do filme, de repente, Elisabeth não consegue mais atribuir um significado pessoal às coisas. É como se faltasse a película de autoilusão que lhe impedia (nos impede) ver a angústia básica da existência, a morte. O pano de fundo alucinatório que lhe permite (nos permite) viver veio a faltar. E isso acontece bem no momento em que Elisabeth se identifica com uma personagem de ficção, na ficção do teatro, ainda mais filmada por um cineoperador, ele mesmo personagem em uma brevíssima sequência do filme.

Se Elisabeth e Alma são a mesma pessoa, a carta fria que uma escreve sobre a outra deixaria pensar em um conflito completamente interno, bem como em uma incapacidade de reconhecer-se, de entrar em contato com as próprias emoções, na carente internalização de uma função do pensamento e de autoconsolação. Algo traumático como a rejeição da maternidade passa, assim, de uma geração para a outra. Obviamente, Elisabeth se espelha em Electra, a filha que odeia a mãe, pois traiu e assassinou o marido. Mas esse matara uma filha (na realidade, no último momento Ifigênia foi substituída por uma corça e levada embora para se tornar sacerdotisa de Ártemis): como sempre, a incrível complexidade dos mitos... De qualquer forma, Electra e, com ela, Bergman-Elisabeth, se confronta com a morte, com o "nada". De fato, no filme, Elisabeth fala apenas duas vezes. Ela diz: "Não, está louca?"[3] (em inglês seria: *No, don't*) e "Nada" (em sueco, *ingenting*). "Não sei nada" (*I know nothing*) é a frase de comentário que Bergman coloca no texto publicado do roteiro. Se encararmos nos olhos a realidade, ela não pode ser tolerada, pois enxergamos o nada. Para aguentá-la, é necessária, assim, uma dose de autoengano.

Desta maneira, o filme nos parece uma meditação lucidíssima e virtuosisticamente conduzida em vários planos acerca da mentira; primeiramente, nas relações de amor e, depois, em geral, entre as pessoas. O símbolo da cruz, a fotografia da criança no gueto de Varsóvia, as crônicas televisivas da tragédia do Vietnã são imagens, como *rêverie*, recrutadas para falar do sofrimento das personagens. Mas não apenas isso. No plano mais amplo da crítica de civilização e da teoria da estética, Adorno não se questionou se, após Auschwitz, a poesia seria ainda possível? Não é essa a pergunta que Bergman apresenta? Como faz Elisabeth, o silêncio não seria melhor? Desistir da arte?

Por último, esses enxertos que, no decorrer dos anos, poderiam incomodar, têm muito a ver com outra função, mesmo que esta seja contraintuitiva: aludem à máscara da ideologia, à arte didática e moralizadora, bem como ao que se torna horror quando o vemos em televisão. Uma prova disso é que, quando Elisabeth escuta uma espécie de drama no rádio, considera-o intolerável, pois está falsificado pelo *medium*. Em um fragmento do roteiro é possível ler: "Voz de mulher no rádio: (*com ênfase*) 'Me perdoe, me perdoe, meu amor. Deve fazê-lo, te imploro. O teu perdão é a única coisa que agora invoco. Assim poderei voltar novamente a respirar e viver'. Elisabeth — (*risada*)".

Mas, então, verdade e mentira são a mesma coisa? Absolutamente não. Embora muito sutil, há um limite entre elas. Existe quase um ponto de equilíbrio entre a tolerabilidade

---

3   N.T.: Tradução realizada a partir do roteiro italiano.

da ficção da vida e da realidade e o abismo da falta de sentido, da crise da representação (psíquica, artística, etc.). Elisabeth adoece quando é desencadeado o curto-circuito entre a mentira (ficção) da própria vida, por ser alienada, inautêntica, repleta de ódio, e a ficção, ou a mentira, necessária para tolerar a verdade da condição humana. Podemos aguentar a segunda (na qual o desespero e o ódio pela ausência da mãe são ré-vivenciados) somente se tivermos internalizado boas relações primárias (a ausência não foi traumática, e, aliás, deu impulso ao desenvolvimento do pensamento). Caso contrário, tudo se resume a falsidade, doença e morte.

No final do filme, Elisabeth recoloca a máscara de Electra, e Bergman, com o seu *cameraman,* se mostra no próprio ato de filmá-la, identificando-se de maneira ainda mais íntima com o seu mundo e tormentos internos. Elisabeth encontra um equilíbrio que lhe permite passar de uma situação de sofrimento crônico, da qual se originou a crise, a uma situação de reintegração do self, que comporta a capacidade de sentir as próprias emoções. Ela transita desde o falso self ao velo "normal" de autoengano que a protege (nos protege) da luz cegante de "O".

Para se tornar *persona*, o sujeito deve "fingir" a realidade, sonhá-la, transformar o infinito terrível e sombrio, a coisa-em-si sobre a qual nada podemos dizer, na realidade fenomênica que os nossos sentidos percebem. Mentira e *mens* possuem a mesma raiz etimológica. Fingir quer dizer também representar, imaginar, plasmar. Um velo de autoengano (ou de transformações em alucinose) é essencial para existir. O alucinatório se infiltra sempre em meio à percepção. Porém, se a realidade foi traumática para alguém, é possível passar da mentira inconsciente, necessária e compartilhada (por exemplo, das ideologias, religiões, etc.), até a falsidade de uma não existência.

De um vértice psicanalítico é necessário, assim, transcender a cesura entre verdade/mentira. Um velo de negações nos protege das radiações da certeza sobre o fim da existência, originando-se da bagagem de relações afetivas estáveis e nutritivas. Se essa tela faltar, o ódio que tal fato acarreta queima a película do sonho, da capacidade de dar um sentido pessoal para a experiência.

Por sorte, existe sempre a possibilidade de que novas experiências sejam tão significativas que consigam reparar o dano ocasionado na alma. No final do filme, Elisabeth volta ao teatro e parece ter saído da crise. No entanto, isso não deve ser entendido como uma espécie de resignação à inautenticidade, pois, como escreve Bergman na introdução do roteiro, o único lugar onde a verdade (emocional) é considerada de forma séria e conta realmente, é o teatro! A única verdade que podemos alcançar é uma verdade de ficção, isto é, estética![4] Evidentemente, o processo de amadurecimento, também cruel, pelo qual Elisabeth passou, e que o filme conta, produziu uma reintegração entre corpo e psique — cujo sinal seriam as emoções não mais separadas do intelecto — e entre aspectos cindidos da personalidade. No final das contas, assistimos a uma reconciliação, a *uma análise bem-sucedida*.

---

4   Cf. Rella e Mati (2008).

CAPÍTULO VI

Sem bárbaros, o que será de nós? Culpa e paranoia em *Caché* de Michael Haneke

Anne (Juliette Binoche) e George Laurent (Daniel Auteil) são um casal de meia-idade pertencente à respeitável burguesia parisiense, pais de um menino de doze anos, Pierrot. Tudo corre bem, até que eles começam a receber fitas anônimas contendo imagens do exterior da própria casa. O enquadramento é fixo, é possível enxergar apenas raros carros e alguns pedestres, além de se escutarem o canto dos passarinhos e o barulho distante do trânsito. Não acontece quase nada. Em conjunto com essas fitas, também chegam desenhos bastante perturbadores, cujo significado é difícil de decodificar.

A polícia se recusa a intervir na situação, pois os vídeos não contêm ameaças explícitas. George não tem a mínima ideia de quem possa ser o autor. Aos poucos, porém, consegue deduzir, a partir do seu conteúdo, que o diretor improvisado deve saber muito a respeito dele e sobre a história de sua vida. De fato, em certa ocasião chegam imagens da pequena propriedade rural onde ele crescera; em outro momento, surge um contexto urbano reconhecível que o leva a encontrar uma pessoa que teve uma grande importância na sua vida.

Trata-se de Majid, um homem de origem argelina com a mesma idade. Os seus pais eram operários e trabalhavam para a família de George, mas morreram no massacre de Paris de 17 de outubro de 1961, quando da manifestação do Front de Libération Nationale. Por algum tempo, Majid foi adotado pela família de George, mas ele, com ciúmes, fizera com que Majid fosse mandado embora. Tinha inventado que ele cuspia sangue e que era doente; acrescentara ainda que, para assustá-lo, Majid cortara a cabeça de um galo usando um machado. A investigação acerca das misteriosas fitas coincide, assim, com uma viagem através da memória, seguindo até as raízes de um profundo senso de culpa que persegue George desde sempre, ainda que bem escondido nas dobras do inconsciente.

Niente da nascondere [no Brasil, *Caché*] (2005), de Michael Haneke, é a história da crise existencial de George, que se torna também uma alegoria da crise da civilização do Ocidente e do pós-(neo)colonialismo, além de ser uma meditação acerca da identidade e do significado da estética. Os vários planos se entrecruzam intimamente entre eles, um reverberando no outro. Cada plano apresenta um problema e remete ao plano seguinte para solução, porém sem nunca encontrá-la de forma definitiva, talvez porque a solução esteja na própria busca[1]. Não por acaso, o final é ambíguo. Portanto, o que gostaria de tentar fazer agora é dar conta, de forma sintética, deste infinito e vertiginoso jogo de espelhos.

1 Cortes

No começo do filme, George é um homem no ápice do sucesso. Faz parte da elite dos intelectuais franceses. É um membro, como se diz, do *tout Paris*. É difícil não ver a seme-

---

[1] Também porque uma solução é sugerida de forma enigmática e parcial através dos cartazes dos filmes do cinema multiplex enquadrado logo após o suicídio de Majid, dispostos um ao lado do outro como se fossem as imagens e as palavras de um jogo de rébus: *Ma mére* [no Brasil, *Minha mãe*] de C. Honoré (2004); *La mauvaise education* [no Brasil, *Má Educação*] de P. Almodóvar (2004); e *Deux fréres* [no Brasil, *Dois irmãos*] de J.-J. Annaud (2004).

lhança com um Bernard Pivot ou com um Bernard Rapp: a decoração do estúdio televisivo no qual trabalha evoca cenários similares aos de *Apostrophes*, de *Bouillon de culture*, ou de *Caractères*[2]. Encontramos, então, a ficção do filme que retoma *en abyme* uma ficção televisiva, o programa apresentado por George, que, por sua vez, se inspira nos *talk shows* literários de sucesso que se sucederam por anos no palimpsesto de *Antenne 2* e, depois, de *France 2*. Curiosamente, as estantes com os livros decorativos são quase idênticas.

Em primeiro lugar, parece uma maneira de denunciar o vazio de uma cultura tanto elitista quanto, muitas vezes, autorreferencial, por um lado ferozmente comprometida a defender-se das invasões que ameaçam barbarizar a sua língua e, por outro, aparentemente fora do mundo e privada de chaves de leitura eficazes sobre a realidade que a rodeia. De fato, nesses tipos de transmissões, o conteúdo é quase intercambiável. A verdadeira mensagem é o narcisismo autocomemorativo. A cultura esconde a ideologia.

Haneke se diverte em ridicularizar esses ritos mediáticos e a sua superficialidade através da conversa realizada entre dois editores em uma festa da alta sociedade. Cada um deles evoca nomes consagrados como se estivesse falando de marcas de vinho. Tudo parece ser reduzido a *bavardage*: desde Spengler, teórico do declínio do Ocidente, até Wittgenstein, Fukuyama e assim por diante. Não é por acaso que citam Fukuyama e a sua tese do Fim da História. No entanto, a História nunca deixa de nos perseguir com as imagens dos trágicos conflitos que ocorrem ao redor do mundo. A cada dia que passa, a crônica dos jornais televisivos nos administra uma dose discreta disso. De novo, como Bergman em *Persona*, Haneke mostra esse cenário filmando a pequena tela da televisão, a mesma tela que, em um filme posterior, belíssimo e cruel, *Funny games* [no Brasil, *Violência gratuita*] (Haneke, 2007), nos mostra ensanguentada.

A alegoria político-social é um primeiro nível de leitura

---

2 N.T.: Programas franceses de televisão com conteúdo literário.

do filme: a confrontação com o Outro na era da internet e do virtual (pensemos na forma com que, no Irã e na Tunísia, as barreiras da censura foram contornadas graças ao *Twitter*); o guerrilheiro que decapita o refém; o terrorista que explode; os efeitos a distância do colonialismo; a bomba na central estação de metrô de Saint-Michel; o choque das rebeliões nos bairros mais periféricos de Paris, os mesmos em que Kassovitz gravou *L'odio* [no Brasil, *O ódio*] (1995); o tema escaldante da relação entre as várias gerações de imigrantes e o fracasso, pelo menos parcial, dos modelos mais avançados de integração experimentados na França e na Inglaterra; o racismo cotidiano e rastejante.

Para dar um exemplo, esse último aspecto é bem representado por meio do episódio do negro na bicicleta que atropela George na saída da delegacia de polícia, provocando a sua reação agressiva. Na sequência do fato, a cena assume o sentido de um verdadeiro prólogo. Os bárbaros de ontem (o negativo no qual o Ocidente construíra sua identidade) não se deixam facilmente homologar ou assimilar e tampouco absorver no estereótipo do bárbaro (embora sempre exista alguém que sofra a tentação dessa solução). Isso acontece porque já os conhecemos, ou seja, estão entre nós, no nosso mundo sem Deuses, relativista e, como dizem os filósofos, alogocêntrico. *Só que agora, sem bárbaros, não sabemos mais o que fazer.*

Contudo, o filme possui objetivos mais ambiciosos e não se deixa reduzir a uma contraposição fácil demais entre vítimas e carrascos, entre exploradores e explorados. Para irmos mais fundo no tema do choque entre culturas, Haneke nos propõe a parábola dramática de dois irmãos, não de sangue, divididos pelo ódio, ambos já adultos e em meio a uma relação difícil com os respectivos filhos. O diretor se desloca no plano individual e começa uma descida para dentro da noite que envolve a alma humana. Para tanto, ele promove um encontro entre David Lynch e Joseph Conrad no interior da obra, representados pelo estilo onírico do primeiro e pelo tema da viagem na abjeção do outro. A referência a Lynch é óbvia. Em *Strade perdute* [no Brasil, *A estrada perdida*] (1997), existe o mesmo módulo narrativo de um casal que recebe misteriosas fitas na própria casa, primeiramente amostrando cenas da parte externa e, depois, da parte interna. A alusão a Conrad é evidente, por outro lado, no tema da decapitação. Em *Coração das trevas*, quando Marlow se aproxima de Kurz, lhe aparece a visão de cabeças empaladas, um espetáculo macabro que o autor surpreendentemente define como "alimento para reflexão" (*food for thought*) (CONRAD, 1999, p. 181).

De forma análoga, três acontecimentos dramáticos marcam a viagem de George nas trevas do seu coração. Trata-se de *três cortes:* a decapitação do galo por parte do irmão adotivo argelino; o horrível suicídio de Majid, que corta a própria garganta, genial do ponto de vista narrativo; e, por fim, no pátio, no sol do meio-dia, a cruel injustiça da separação de uma criança da sua mãe, o que remete à famosa cena de *L'ultimo imperatore* [no Brasil, *O último imperador*] (1987) de Bertolucci.

2 O companheiro secreto

Após a dimensão do social, passamos à psicologia individual. George perdeu o pai, a mãe é doente, talvez tenha problemas no trabalho e mora com a sua esposa, a qual ele parece não conhecer de verdade e que provavelmente o trai com Pierre (cuidado com os nomes: o filho se chama Pierrot). As suas reações excessivas quando da chegada dos desenhos inquietantes e das fitas mostram a existência de um fundo de ressentimento que está no seu interior há algum tempo. Entre o casal, a comunicação é obstruída pelo ódio. O filho, confrontado com as turbulências da puberdade, lhe é alguém tão estranho quanto a própria esposa. A crise da meia-idade chegou, obrigando-o a fazer as contas consigo mesmo e a se enxergar a partir de outra perspectiva.

George não consegue mais realmente sonhar, sonhar-se na existência. A sua vida tornou-se, de repente, um pesadelo. *Um inimigo ameaça a sua casa, aliás, está dentro de casa, ou melhor, está dentro dele:* essa é, fundamentalmente, a equação do filme. As barreiras levantadas diante de um profundo sentimento de culpa que o assola desde sempre não resistem mais. Em certo ponto da história, a culpa se torna insustentável. A confrontação com o trauma não pode mais ser evitada e a leitura do mundo feita por George começa a assumir conotações paranoicas.

Assim, a busca angustiada pelo sentido assume as tonalidades de um drama policial, ou, se quisermos, de uma análise, especialmente no diálogo em que George conta sobre Majid para a sua esposa. Se tentarmos ver tudo como um parto exclusivo da sua mente, a história se desenrola por meio da fixidez de lembranças traumáticas, conforme é evocado, desde o início do filme, por meio do enquadramento fixo da câmara que filma o exterior da casa. Em seguida, ela se desenvolve por meio de flashes alucinatório-oníricos que escapam das forças do recalque, como podemos ver, por exemplo, através da imagem intermitente de uma criança com a boca suja de sangue. Por fim, a história prossegue, exigindo do protagonista um trabalho lento e penoso de elaboração psíquica, cujo resultado permanece completamente em aberto.

Reaparece a história do irmão. Obcecado, George vai até a sua mãe (Annie Girardot) para perguntar a respeito de Majid. Quando esse último é mandado embora, o protagonista se confronta com o infeliz afastamento da própria mãe (como se ela tivesse sido uma madrasta também para George). Não ter desejado Majid como *alter ego* é a acusação que ele dirige à mãe por tê-lo "abandonado" a certo ponto da sua existência, talvez desde sempre, a partir do seu nascimento. A sua culpa consistiria no fato de que ele se considerava obscuramente responsável por esse abandono, representado por meio do episódio de Majid, em virtude dos próprios impulsos de ódio, conscientes e inconscientes, que possuía em relação à mãe, conforme observamos nas crianças que sofrem violência.

A partir desse ponto de vista, Majid, que é alienado tanto como argelino, isto é, um estrangeiro, quanto como órfão, um exilado sem um espaço ou uma língua materna em que possa se movimentar, como os imigrantes — trata-se de um duplo exílio, do lugar de origem e no novo país —, é o self "negro", violento e matricida de George. *Mandar embora Majid equivale a mandar embora a si mesmo.* Assim, o irmão argelino, uma espécie de companheiro secreto *conradiano*, alude ao diferente do si mesmo consciente que cada um tem dentro, ao duplo, à parte recalcada ou cindida que continua a viver uma vida *oculta,* sofrida, mas que, tão logo surja uma oportunidade, tende a voltar para a luz. As fitas enviadas para George não apresentam edição, muito menos som ou movimento. São caracterizadas por uma espécie de imobilidade do luto (MANON, 2010), como se o objetivo dessa fixidez fosse aludir àquilo que se mostra na consciência e fora dela.

O filme tem o seu ápice dramático no suicídio de Majid. Ainda que insinuada de forma inteligente nos desenhos aparentemente infantis, a cena pega o espectador de surpresa. Nestes desenhos, em um primeiro momento a cor vermelha do sangue tinge a boca e, depois, se torna um esboço que parte do pescoço: uma antecipação das flores vermelhas e também do sangue na parede do quarto no qual se realiza o drama final, como se estivesse dizendo que o buraco negro do primeiro afastamento dolorido do seio pode se tornar, às vezes, uma vida inteira rescindida. Na cena existe, ainda, um toque de *splatter* que, semelhante aos filmes de Shinya Tsukamoto, serve para despertar o espectador do seu torpor, forçando-o a sair do estado de quase-morte e de ofuscamento da sensibilidade provocado pelos hábitos e pelas estereotipias do pensamento.

Também no episódio do suicídio, estão entrelaçados vários planos de significado. É possível ver Majid como uma projeção onírica do protagonista que se vinga do objeto, a mãe, com a agressividade inconsciente inerente ao seu estado depressivo, e com a agressividade do suicídio virtual inerente ao pesadelo. Ao contrário, se interpretarmos o enredo através de uma ótica realista, Majid seria o irmão adotado pelos pais de George em decorrência da culpa sentida pelo assassinato dos seus pais na manifestação em Paris. Repudiado pela mentira de George, ele põe fim à própria vida para acertar as contas e, em definitivo, para sair da vergonha/abjeção do fato de não se sentir realmente amado, de não existir na mente do outro. As culpas dos pais recaem, assim, sobre as cabeças dos filhos.

3 Identidades líquidas

Nunca saberemos quem gravou as fitas. Por isso, o operador de vídeo anônimo é o inconsciente, o diretor, o espectador e até mesmo o próprio George, nos seus pesadelos ou na realidade (afinal de contas, o filme mostra que, devido à sua profissão, ele está familiarizado com montagens de vídeo). O primeiro a ser objeto de suspeita é Pierrot, depois o filho de Majid e, no final, quando eles aparecem juntos, até mesmo os dois. Talvez saber isto não tenha muita importância. Ao contrário, aquilo que parece importante é que o final equívoco faz com que o espectador vivencie o mesmo experimentado por George. A falta de resolução do enredo é frustrante, mas obriga a pensar.

Contudo, esta não é a última estratégia usada por Haneke para fazer vacilar o sentido da realidade e da nossa identidade, sempre com o intuito de criar em nós tantos outros George e, da mesma forma, nos impor certo trabalho psíquico para sair da paranoia do não entendimento. Na paranoia, assim como naquela que acontece no corpo e a qual chamamos hipocondria, exterioriza-se algo no corpo da sociedade e, a seguir, ele é investigado na tentativa de reencontrar o contato que foi perdido com as qualidades do seu próprio mundo interno.

Como parte dessa estratégia narrativa, poderia ser citado também o episódio da piada que o hóspede conta na mesa no início do filme, no qual o tema da transfiguração homem-animal está presente, assim como no plano simbólico pai-galo, colocando-nos de forma inquietante no espaço do surreal, da perigosa perda das fronteiras entre sonho e realidade. Mesmo quando o truque é revelado, alguém continua a perguntar ao narrador se a história é verdadeira ou não.

Um significado análogo, como já mencionei, recobre o jogo de citações e alusões de cinema/televisão/ficção/realidade, realidade da ficção (da arte)/ficção da realidade (efeito do real), e assim por diante.

As fitas possuem a mesma função de dispositivo narrativo até a última cena e não apenas, como foi possível ver, no que diz respeito ao enigma do possível autor. Cada vez que elas surgem, por alguns momentos, o espectador é deixado na ambiguidade. Ele pensa estar assistindo a uma cena real, mas em seguida percebe que se tratava de um filme dentro do filme. A partir da ficção na fita, ele acorda no real do filme, real este que, na verdade, é apenas o sonho do espectador.

O assim chamado Fim da História, que aqui coincide com o não-fim do filme, não representa o término dos conflitos no mundo, mas é apenas a descoberta, tornada inevitável pela mídia, acerca da "montagem" da realidade, do fato de que devemos renunciar ao "fundamentalismo realista" ou ao realismo ingênuo da vida cotidiana tão caracteristicamente próximo de uma espécie de dogmatismo leigo. Não existe uma verdade absoluta. A realidade é construída, mediada pelos repórteres-cineastas que todos temos *embedded* na nossa cabeça, conforme se afirma acerca dos jornalistas que fazem a cobertura de uma guerra e passam a integrar os exércitos sobre cuja atuação deveriam testemunhar de forma independente.

A partir de então, a identidade do sujeito é construída através da contínua definição de bordas, margens, fronteiras entre a realidade psíquica e a realidade material, entre sonho e vigília, mas também ocorre por meio da capacidade de transitar por essas fronteiras e de habitar de forma confortável os vários mundos possíveis nos quais vivemos de maneira simultânea. Trata-se da premissa imprescindível para conceber a mente do outro e para se identificar com ele.

O que tudo isso sugere? Que precisamos de instituições nas quais seja possível embasar a nossa identidade, mas que, quando pressionadas por emoções violentas, estas instituições, o Eu e a própria sociedade enquanto instituição podem enrijecer de forma defensiva, fechando-se em alguns desses mundos e não conseguindo mais ver os outros, isto é, o outro, oscilando entre os extremos da alucinação e/ou delírio e a alucinose da concretude absoluta. Além disso, sugere que somente uma função inteligentemente crítica e autorreflexiva pode permitir reencontrar aquela mobilidade das defesas, dos investimentos afetivos e do pensamento tão necessários para a saúde psíquica do indivíduo e dos grupos.

4 Na origem do narrado

Também do ponto de vista estético, o verdadeiro núcleo do filme é o suicídio de Majid. Vimos que, para Benjamin (1976), a morte narrativa das personagens de um romance é aquilo que dá sentido para cada narração e para a vida. Considerada em termos gerais, a arte é uma forma feliz, fruto da capacidade imaginativa do artista, que contém a angústia. Aquilo que não é pensável se torna pensável. As emoções são revestidas por uma película de pensamento. Até o horror não nos aterroriza mais, mas se torna alimento para a reflexão. Como a *rêverie* da mãe para a criança, assim a função estética da arte reside na sua capacidade de dar uma forma à experiência do negativo, isto é, de ser aquilo que a mãe biológica não conseguiu ser para Majid, não sendo para ele nem a mãe adotiva nem a mãe de George para seu filho, algo que talvez a Europa não saiba ser em relação aos seus filhos imigrantes.

Volta novamente o tema da decapitação, desta vez como figura da renúncia à razão pura. Na experiência estética, para intuir o sentido da vida, é necessário cegar-se artificialmente, como se faz na análise para captar os rastros do inconsciente. Somente a cegueira da noite leva à visão, à intuição, ao sonho. Somente na escuridão da sala de um cinema é possível ver as imagens na tela.

Os bárbaros nas fronteiras, dos quais nos fala Konstantinos Kavafis (1997, p. 39)[3-4] na sua esplêndida poesia, podem ser pensados, então, como a projeção do negativo no outro, no diferente. Pode ser, sim, uma solução, mas é a solução patológica da paranoia, a tentação de um Eu que tem medo de cair em confusão. Porém, existe outra solução que, na minha opinião, faz sentido no plano individual e social, e é aquela indicada por Freud, qual seja, aceitar a concepção enfraquecida e policêntrica do Eu (e da sociedade) — a ideia do Eu que não é mais dono na sua própria casa —, e transformá-la em força por meio do equilíbrio, no plano ético, com um maior sentimento de responsabilidade.

---

3 "Por que subitamente esta inquietude? / (Que seriedade nas fisionomias!) / Por que tão rápido as ruas se esvaziam / e todos voltam para casa preocupados? / Porque é já noite, os bárbaros não vêm / e gente recém-chegada das fronteiras / diz que não há mais bárbaros. / Sem bárbaros o que será de nós? / Ah! Eles eram uma solução".

4 N.T.: A tradução do trecho da poesia citada na nota de rodapé imediatamente anterior foi extraída de: KAVAFIS, K. À espera dos bárbaros. *In*: KAVAFIS, K. *Poesia moderna da Grécia*. Seleção, tradução direta do grego, prefácio, textos críticos e notas de José Paulo Paes. Rio de Janeiro: Guanabara, 1986. Obra consultada em formato digital.

CAPÍTULO VII

O criado de Joseph Losey, ou a vida estilhaçada

"Quando olhamos no espelho, achamos que a imagem que nos confronta é precisa. Se, porém, nos movermos um milímetro que seja, veremos que a imagem muda. Estamos, na verdade, olhando para um conjunto infinito de reflexos. Às vezes, porém, o escritor tem de quebrar o espelho — porque é do outro lado que a verdade nos observa" (PINTER, 2005)[1].

---

1 N.T.: Tradução extraída do site: https://cultura.estadao.com.br/noticias/geral,leia-a-integra-do-discurso-do-premio-nobel-harold-pinter,20051209p3608.

1 Uma casa nova

O criado, de Joseph Losey (1963), para cujo roteiro Harold Pinter se baseou em um romance de Robin Maugham, conta a evolução dramática da relação que conecta Tony (James Fox), um aristocrático proprietário de casa recém-mudado para Londres, indolente e ambicioso, mas sem personalidade, ao seu criado Hugo Barrett (Dirk Bogarde). Na luxuosa casa em Royal Avenue, localizada no bairro exclusivo de Chelsea e recentemente herdada por Tony, Hugo torna-se cada vez mais indispensável. O criado é onipresente, sabe fazer tudo, é discreto. Anula a sua individualidade como se não possuísse uma vida própria. A namorada de Tony, Susan (Wendy Craig), sente uma aversão instintiva por ele. Os dois são surpreendidos por Barrett quando estão prestes a fazer amor, circunstância que alimenta ainda mais a aversão de Susan, a qual chega a pedir a demissão do criado. No entanto, Tony recusa-se a demiti-lo.

Para torná-lo ainda mais dependente, Hugo introduz na casa a sua irmã, Vera (Sarah Miles), trazendo-a da distante Manchester. Na realidade, Vera — ironia do nome — é a sua amante; quando Hugo se ausenta por um fim de semana, ela seduz Tony. O jogo, porém, é logo descoberto: por sua vez, Vera e Hugo se deixam surpreender em flagrante em uma situação de intimidade no quarto de casal do patrão. Desta vez, Tony os manda embora, mas depois se dá conta de que não consegue ficar sem Hugo e decide chamá-lo de volta. Tendo já estabelecido o seu domínio sobre o outro, mais uma vez Hugo traz Vera para casa e manda embora para sempre Susan, à qual nem dissimula mais o seu desprezo.

No final do filme, as posições estão completamente invertidas: o criado domina o patrão, arrastando-o de vez para o seu mundo sórdido. Tony, já bastante fraco, perde literalmente a cabeça. Para defender-se da dor psíquica, ele se abandona às drogas e à promiscuidade sexual. O filme é, em definitivo, a história da degradação das duas personagens centrais. Tony e Hugo encontram-se emaranhados em uma relação simbiótica e reciprocamente destrutiva. Hugo tiraniza o patrão, mas sempre na sua maneira ambígua de criado corrupto e corruptor que satisfaz os seus vícios, sendo, portanto, cúmplice.

Todos os atores demonstraram grande talento e o filme foi acolhido com grande entusiasmo pelo público. *O criado* não sofreu com a passagem do tempo e permanece, ainda hoje, uma obra de rara harmonia em todos os seus componentes. O estilo elíptico de Pinter se conjuga de modo maravilhoso com a visualidade barroca de Losey. Pausas, diálogos, imagens, personagens, cenografias, tudo está praticamente perfeito.

O filme "resiste" à interpretação por causa da sua enigmaticidade, a não ser que se queira abordá-lo de forma banal, como uma alegoria da luta entre as classes sociais na Inglaterra pós-vitoriana ou sobre o poder do sexo, do mal, do inconsciente, etc. Contudo, de uma perspectiva analítica, o contexto social funciona apenas como a ambientação de um evento cujo significado transcende qualquer determinação de tempo e de lugar, da mesma forma que tantas cenas dramáticas entre personagens masculinas e femininas representadas tão frequentemente na pintura clássica, quando desnudadas da sua moldura histórico-simbólica ou mítica, nos parecem variações sobre os momentos cruciais da existência e da luta entre os sexos.

Além da óbvia constatação de que *O criado* se inscreve neste gênero de filme, existe um detalhe da cenografia que nos possibilita sermos mais acurados, passando a assistir ao filme principalmente como um excelente estudo psicológico sobre os processos de construção e de destruição da identidade. Refiro-me ao uso virtuoso que o diretor faz do espelho enquanto elemento cenográfico.

2 Espelhos

A minha leitura de *O criado* considera o papel de verdadeiro protagonista, além daqueles explícitos, que o espelho desempenha no filme. Na casa, existem espelhos de várias formas e em cada quarto. Não bastando, também as paredes, as cortinas e até mesmo a superfície dos móveis funcionam como espelhos. Ao longo de todo o filme, as personagens se refletem neles continuamente e, cada vez que isto ocorre, a reorganização espacial imposta pelos espelhos antecipa e acompanha a constante e mútua redefinição das suas relações, servindo de símbolo para estas mudanças. Os espelhos são, assim, a metáfora concreta da tecelagem dos fios emocionais que conectam sujeito e objeto, ou os membros de um grupo entre eles; um processo que é internalizado sob a forma de relações intrapsíquicas entre objetos internos.

É a isto que aludem, por exemplo, as cenas em que várias personagens estão reunidas no espelho, como se cada uma representasse uma instância diferente da própria mente. Sujeito e objeto — os papéis são sempre reversíveis — nunca são idênticos a si mesmos, mas, como em uma dança sem fim, assumem continuamente novas posições. O espelho está sempre lá para relembrar que o sujeito se funda (de maneira hegeliana) a partir da dialética intersubjetiva de reconhecimento e de negação (*Aufhebung*). Obviamente, sugere também que nós mesmos, os espectadores, estamos capturados neste jogo de reflexos; percebemos que eles estão falando a nosso respeito e que a arte, quando nos comove, nos transforma.

Contudo, em *O criado*, o espelhamento psíquico entre as personagens não abre caminho para o desenvolvimento do pensamento, mas para a psicose. No pano de fundo dos fatos específicos contados no filme, apresenta-se uma temática mais geral que a psicanálise ajuda a iluminar: aquilo que está exposto — esta é a minha hipótese interpretativa — é a forma através da qual um espelhamento *defeituoso* na relação primária do bebê com o objeto, que no filme está transposto no enredo manifesto de um acontecimento que só possui adultos como atores, pode conduzir, gradualmente, à corrupção e à perversão da mente.

A metáfora do espelho assume um papel-chave não apenas no cinema e na narrativa clássica e moderna, mas também na literatura psicanalítica, pelo menos em um autor importante como Lacan[1]. Para articular o meu discurso crítico, empregarei o seu renomado conceito de estádio do espelho (*stade du miroir*) como uma ligação entre o filme e os conceitos bionianos análogos de *rêverie* e de *rêverie* negativa. Na minha opinião, esses conceitos, que são complementares, podem enriquecer a nossa compreensão do filme e o prazer que ele nos causa. Vice-versa, algo que considero ainda mais interessante, o filme atribui substância visual a esses conceitos, captando a sua complexidade e o seu significado. Por assim dizer, acaba por "interpretá-los", fazendo-os viver em uma história exemplar[2].

---

1 A temática do espelho desempenha um papel importante também em Winnicott (1990) e em Dolto e Nasio (2011). Saindo da literatura psicanalítica, destaco Tagliapietra (2008) e Eco (1985).
2 Elena Molinari (2011) descreve como, por meio do tipo de comunicação sensorial que prevalece no começo da vida, a mãe pode, às vezes, inocular "fantasias no corpo" (GADDINI, 1982) da sua criança, isto é, transposições das suas dificuldades inconscientes de cuidar dela. Essas fantasias no corpo se comportarão como verdadeiros corpos estranhos, vindo a induzir distorções nos processos de elaboração da experiência.

3 Bejahung

Para Lacan, ao nascer, o bebê é um ser que vive somente no registro do imaginário. Está privado da realidade, no sentido de que ainda não alcançou uma condição de integração psicossomática, não coordena os movimentos, não pode distinguir entre si mesmo e os outros, vivenciando experiências de fragmentação corporal (*corps morcelé*)[3] conforme já descrito — melhor seria impossível — por Melanie Klein. Porém, se entre os seis e os dezoito meses, a criança for surpreendida diante do espetáculo da própria imagem refletida no espelho, é possível vê-la alegre, e constatamos que ela sente prazer ao se reconhecer e ao se enxergar inteira, unificada[4-5].

Intuímos que a criança assume a imagem que vê (aquilo que ela ainda não é) como uma espécie de protoidentidade. Enquanto identidade pré-formada e desigual, pois antecipada em relação ao amadurecimento do Eu, a imagem especular se apresenta para ela como o barco que promete salvá-la das águas da indiferenciação. Ao "aceitar" negar-se em algo virtual, se for considerado na sua qualidade de espelhá-la assim como ela é *realmente*, a criança então nasce como sujeito. O estádio do espelho, portanto, é a fórmula escolhida por Lacan para indicar o processo dialético que leva à autoconsciência.

Parece que o conceito de Lacan surgiu após ele ter presenciado um episódio específico, mas poderíamos discutir acerca da possibilidade que a ideia lhe tenha ocorrido depois da leitura de alguns trechos também significativos das me-

---

3   Cf. Tarizzo (2003): Lacan reformula o complexo de Édipo e conecta a angústia da castração ao risco de recair no estado de fragmentação em relação ao qual a imagem especular do Eu representa uma primeira defesa, referindo-se, assim, tanto aos homens quanto às mulheres.

4   Cf. Lacan (2002, p. 88): "A assunção jubilatória da sua imagem especular por esse ser ainda mergulhado na impotência motora e na dependência da amamentação que é o filhote do homem nesse estágio de *infans* parecer-nos-á pois manifestar, numa situação exemplar, a matriz simbólica em que o [*eu*] se precipita numa forma primordial".

5   N.T.: LACAN, J. O estádio do espelho como formador da função do eu tal como nos é revelada na experiência psicanalítica. *In*: LACAN, J. *Escritos*. Tradução de Vera Ribeiro. Rio de Janeiro: Jorge Zahar, 1998, p. 97.

mórias do juiz Schreber (SCHREBER, 1974), as quais foram retomadas por Freud no seu célebre ensaio sobre esse livro extraordinário. Nele, o renomado doente relata que, às vezes, se mostrava no espelho com roupas femininas (FREUD, 1981, vol. VI). De fato, toda a teoria lacaniana do sujeito se origina do ensaio de Freud e do modelo freudiano da paranoia.

A partir da percepção do próprio reflexo invertido e fixo, que é a imagem idealizada, sintetizada em uma "forma" que representa mais do que a soma dos seus elementos constitutivos, de um corpo ainda não percebido como próprio, e a partir da aquiescência puramente passiva dessa primeira ficção, a criança perde algo — na realidade, nada é perdido, pois como sujeito, a princípio, ela não existe, ou seja, a criança perde apenas uma virtualidade a ser — e, ao mesmo tempo, começa a existir[6].

Naturalmente, não se trata somente de espelhos enquanto objetos concretos: o fato de ver-se no espelho é apenas uma metáfora da relação narcísica do Eu com o objeto, um Eu aqui presente como um esboço, e que, no início, se desenvolve ao refletir-se no Eu ideal, expressão das expectativas conscientes dos pais e dos seus fantasmas. Por isso, o sujeito nascente é totalmente alienado, dividido. Ele é *perseguido* por esse Outro de si mesmo virtual. É pressionado para se fazer assimilar e para reduzir qualquer diferença.

A passagem-chave que se realiza na fase do espelho parte do imaginário (na linguagem freudiana, as representações de coisa) até chegar ao simbólico (representações de palavra), ou seja, desde o ser enquanto pura animalidade até o acesso ao sentido e, depois, ao significado. É possível existir (*ek-sistere*) realmente enquanto produtores de sentido apenas se nos deixarmos investir pela violência da interpretação (AULAGNIER, 1994), se nos deixarmos capturar na rede da linguagem, cujo princípio de funcionamento-chave é identificado por Lacan na assim chamada metáfora ou significante paterno.

6 "Sentir-se real é mais do que existir" (WINNICOTT, 1990, p. 199).

Mas as coisas podem dar uma guinada mais ou menos favorável. A passagem, que no percurso evolutivo do indivíduo pode ser mais ou menos exitosa, vai desde o Eu ideal do espelhamento narcísico e simbiótico até o ideal do Eu do espelhamento não narcísico e não simbiótico. No começo da vida, a relação narcísica com o espelho exclui o outro, o objeto. Se a criança não tiver sucesso em se diferenciar da identificação especular com o si-mesmo-enquanto-reflexo da mãe, isto é, se não conseguir se desidentificar dela e vê-la como separada, ela se torna frágil do ponto de vista emocional, além de ficar facilmente exposta ao sofrimento psicológico e também à descompensação psicótica. Em vez do *retranchement primitif* ["defesa primordial"] (LACAN, 2010, p. 95), da primordial "afirmação daquilo que é" (*Bejahung*), ela será marcada para sempre pela forclusão psíquica.

Este distanciamento, que representa o terceiro, a separação e a fortificação da *Bejahung*, é o escudo que, no mito de Perseu, reflete o rosto de Medusa, de forma que ele não precise olhá-la nos olhos mortíferos, permitindo que ele vença. De forma esplendorosa, algo que acontece com frequência nos mitos gregos, uma imagem fulminante nos diz como, a partir da triangulação de uma distância tolerável do objeto, nasce a película protetora do pensamento. O reflexo na superfície do escudo não é outra coisa senão a autoconsciência.

Lacan retoma de Freud o termo *Bejahung* (de *bejahen*, "responder que sim"), traduzível como aceitação/admissão, indicando o contrário de forclusão (*Verwerfung*), entendida como rejeição/não aceitação de uma percepção (e não como recalque ou negação): aquilo que não é admitido na ordem simbólica e que, então, é forcluído, retorna como real, do externo, na forma alucinatória. Assim, a *Bejahung*[7] é o pressuposto da simbolização primária, dizendo respeito, antes de mais nada, ao No(me)-do-pai, aquele *no* [não] que

---

7 Lacan sabe certamente que aquilo que ele fundou é um mito/narração (LACAN, 2010, p. 174).

a mãe deve saber pronunciar para permitir a introjeção por parte da criança. Trata-se de uma espécie de contrato preliminar que prevê a entrada da terceira figura do pai como fator de separação (de regulação) da distância dentro da relação dual mãe-criança e, portanto, como ator no teatro da mente. Poderia ser aproximado do conceito de recalque originário[8] de Freud e do significado que a *rêverie* materna possui em Bion enquanto fonte de uma primordial moldura de sentido para as coisas, ou seja, como "campo do simbolizado que é premissa indispensável, mas não coincide com o recalcado" (LUCHETTI, 2000, p. 35), e que depende dos processos de sintonização afetiva no par mãe-criança; Tronick diria "de expansão diádica da consciência" (TRONICK, 2005). A partir de outra perspectiva, relaciona-se com o movimento realizado desde a percepção de um objeto até a sua aceitação psíquica enquanto algo que existe de forma independente do self e das próprias determinações.

O No(me)-do-pai coincide com a ausência tolerável do objeto, única condição da qual pode nascer o pensamento. A tolerabilidade é aquilo que distingue a não coisa (*no-thing*, para Bion), o lugar onde estava o objeto e já não está mais, mas que, por assim dizer, preserva ainda a sua marca e onde se tem a esperança de encontrá-lo e, ao mesmo tempo, o desespero do nada (*nothing*). Tolerar a ausência, o "não" à satisfação imediata e automática da necessidade ou do desejo, mas preservando a fé na possibilidade de que, ao final, esta satisfação chegará, faz com que, naquele intervalo de tempo, os processos do pensamento sejam iniciados.

---

[8] Enrico Mangini (2009) interpreta o conceito de recalque originário, que, para Freud, é o primeiro tempo de qualquer recalque subsequente, como o espelhamento realizado quando o recém-nascido, no seio, fixa o seu olhar naquele da mãe. O espaço psíquico do pensamento, isto é, a possibilidade de que as representações de coisa se formem, surgiria da ligação de um afeto-sensação a uma imagem. Contudo, para que a fixação da excitação pulsional tenha êxito, é necessário que a experiência do contato com o objeto não seja intensa demais. Ao introduzir a temática do espelhamento, o autor imprime, assim, uma curvatura decididamente intersubjetiva a um conceito-chave, mas muito obscuro, da metapsicologia freudiana.

Quando esse "não" primordial não consegue ser pronunciado, falta o eixo simbólico, e o sujeito é capturado pelo espelho, relacionando-se apenas consigo mesmo. Como na psicose, as palavras se referem a uma significação em si e não a outra coisa, similar ao que acontece no jogo normal dos significantes. É evidente a conexão com a dialética hegeliana, tão presente em *O criado*, do patrão/escravo, embora a dialética de Hegel não dê conta do inconsciente. Não é suficiente que o outro me reconheça (e que eu, neste caso, deseje o seu desejo), pois também o outro possui um inconsciente. Ele poderia me reconhecer (pensar em fazê-lo) enquanto faz o contrário. A ordem do simbólico possui uma autonomia própria, sendo inefável para o sujeito!

Como é possível ver, ao teorizar o estádio do espelho, Lacan formula uma concepção radicalmente social do nascimento psíquico e da subjetividade em geral, mas não a elabora de forma coerente com esses pressupostos dentro de uma teoria da prática clínica e da técnica psicanalítica. Não conseguimos um modelo convincente de *como* o bebê pode sair da identificação narcísica com a própria imagem especular, ou melhor, com a imagem que lhe é apresentada pela mãe, nem *como* se desenvolve concretamente a interação entre os dois.

Ao contrário, Bion resume essa interação e, não suficiente, trata de colocá-la no centro da sua teoria do nascimento e do desenvolvimento do pensamento, em um modelo que, na minha opinião, é muito mais articulado. Os elementos-chave são os conceitos de identificação projetiva/*rêverie*, mas também se destacam a capacidade negativa/fato selecionado, ou continente/conteúdo, para indicar apenas alguns entre os principais. Grotstein descreve de modo insuperável essa interação, apresentando-a, por sua vez, após Bion e Winnicott, como *o* modelo daquilo que acontece na análise (em uma citação que, no primeiro capítulo, propomos como um possível modelo do leitor-enquanto-autor do texto):

O analista, como faz a mãe pelo seu bebê, absorve a dor do paciente "vindo a ser" o analisando/bebê (isto é, "vindo a ser" o estado emocional da mente deste último) e permitindo-lhe tornar-se parte dele. Na sua *rêverie*, ele convoca do próprio inconsciente o seu repertório de experiências pessoais, de modo que algumas delas sejam talvez simétricas — ou de acordo com — às projeções ainda insondáveis do analisando (elementos β, O). Ao final, o analista enxerga (sente) um padrão no material, cuja experiência é chamada de "fato selecionado", isto é, o padrão se torna o fato selecionado, fazendo com que o analista possa interpretar a configuração intuída (criar uma conjunção permanente e constante dos elementos apresentados, ou seja, atribuir-lhes um nome que os ligue) (GROTSTEIN, 2010, p. 57).

Eis, então, o que é o espelho: o rosto, ou seja, a mente da mãe[9-10]. Como no conflito estético teorizado por Meltzer (MELTZER, 1981; MELTZER; HARRIS WILLIAMS, 1989), o limiar daquilo que, para o bebê, é visível/intuído a partir dos pensamentos e das intenções mais ocultas da mãe — no sentido de que, quando não expressam ódio, não o cegam, além do visível do rosto, da exterioridade — depende da *rêverie* materna, ou seja, da sua própria capacidade de situar-se na ordem do simbólico, de sonhar o seu bebê, de saber acalmar a sua angústia. Somente assim, como robô ou boneco de madeira, por assim dizer, ela o ajuda a se tornar humano. Uma mente não pode nascer se não for sonhada por outra mente. Ao sonhar o seu bebê, a mãe desenvolve a função essencial

---

9   Cf. Winnicott (1990, p. 191): "O que vê o bebê quando olha para o rosto da mãe? Sugiro que, normalmente, o que o bebê vê é ele mesmo. Em outros termos, a mãe está olhando para o bebê e aquilo com o que ela se parece se acha relacionado com o que ela vê ali [...]. Muitos bebês, contudo, têm uma longa experiência de não receber de volta o que estão dando. Eles olham e não se veem a si mesmos."

10 N.T.: WINNICOTT, D. W. O papel do espelho da mãe e da família no desenvolvimento infantil. *In*: WINNICOTT, D. W. *O brincar e a realidade*. Rio de Janeiro: Imago, 1975, p.154.

de mediação que o introduz na ordem da linguagem[11-12], não apenas como sujeito passivo, mas também como *agency*.

Por várias razões, quando isto não é possível, podem surgir tanto distúrbios na criança quanto aspectos de compensação e de inibição na mãe: uma presença excessiva, por exemplo, enquanto supercoruja protetiva e controladora, ou, como pode acontecer por causa de um seu aspecto depressivo, talvez transgeracional, uma indisponibilidade emocional que leva a criança a viver em um clima de luto perene desde o começo da vida. Em ambos os casos, o terreno no qual o Eu cresce está disseminado de emoções não transformadas e que, antes ou depois, podem se fazer ouvir, por exemplo, em um episódio psicótico. Microexperiências da falta de compartilhamento emocional, acaso possuam um alcance traumático, isto é, se ferirem a tenra pele psíquica da criança, são também estrias para a sua função α ou minas destinadas a explodir quando ativadas por certos estímulos[13]. Ogden escreve:

> Uma mãe que não é capaz de estar emocionalmente disponível para o bebê (uma mãe incapaz de *rêverie*) devolve a ele os seus pensamentos intoleráveis de uma forma desprovida de qualquer significado que tinham antes. Os medos projetados pelo bebê nestas circunstâncias lhe são devolvidos como "terror sem nome" [...] A experiência do bebê ou da criança da incapacidade da mãe de conter o seu estado emocional projetado é internalizada como

---

11 Cf. Lacan (2002, p. 272): "Os símbolos efetivamente envolvem a vida do homem numa rede tão total que conjugam, antes que ele venha ao mundo, aqueles que irão gerá-lo 'em carne e osso'; trazem em seu nascimento, com os dons dos astros, senão com os dons das fadas, o traçado de seu destino; fornecem as palavras que farão dele um fiel ou um renegado, a lei dos atos que o seguirão até ali onde ele ainda não está e para-além de sua própria morte; e, através deles, seu fim encontra sentido no juízo final, onde o verbo absolve seu ser ou o condena — a menos que ele atinja a realização subjetiva do ser-para-a-morte".

12 N.T.: LACAN, J. O estádio do espelho como formador da função do eu tal como nos é revelada na experiência psicanalítica. *In*: LACAN, J. *Escritos*. Tradução de Vera Ribeiro. Rio de Janeiro: Jorge Zahar, 1998, p. 280.

13 Cf. Ferro (2007), para a análise do cartaz do filme *The lord of war* [no Brasil, *O senhor das armas*], o qual mostra o rosto de Nicholas Cage formado por muitas minas.

uma forma de pensamento (mais especificamente, a reversão do pensamento) caracterizada por ataques ao próprio processo por meio do qual o significado é atribuído à experiência (função alfa) e à ligação dos pensamentos oníricos no processo de sonhar e pensar (OGDEN, 2008, p. 128).

Tendo definido melhor o significado do conceito lacaniano de estádio do espelho com algumas integrações de Bion e de autores de índole pós-bioniana, como é o caso de Ogden e Grotstein, podemos novamente nos perguntar: o que distingue a alienação necessária, isto é, a violência necessária da interpretação, da violência que produz alienação e loucura? Qual é o fator que faz a balança pender mais em favor da *Bejahung* do que da forclusão? Lacan responde que existe a psicose quando, na relação narcísica com o espelho/mãe/Eu ideal — que mesmo assim permite uma identificação mínima, pois senão não existiria nem psicose nem vida —, não consegue se introduzir um significante paterno, um elemento separador. Na prática, podemos imaginá-lo como a dificuldade, por parte da mãe, de modular de forma coerente o nível de frustração na criança em relação às suas necessidades e aos seus desejos.

Quando a mãe já o possui na sua mente, o nome do pai permite, na criança, a instauração da função edípica da mente, coincidindo, ao final, com a barra que, no algoritmo proposto por Saussure, S/s, representa a arbitrariedade da ligação entre significante e significado. O terceiro, então, não deve ser entendido concretamente apenas como a figura física do pai, nem deve ser considerado equivalente apenas da aquisição da palavra por parte da criança, mas como a capacidade do cuidador de regular a distância na relação desde o nível pré-verbal ou semiótico da comunicação[14]. Assim, o terceiro é, antes de tudo, uma função do pensamento, estan-

---

14 Cf. Kristeva (2009, p. 8): "As vocalizações do bebê que ainda não fala são os 'equivalentes' das suas necessidades e da sua dependência do corpo humano: chamo estes equivalentes de 'semióticos' (do grego *semeion*, marca distintiva, traço, sinal precursor, prova, sinal inciso ou escrito, impressão, representação)".

do já presente naquela que, seguindo Damasio, Grotstein chama de "categorização *emocional* somática" (GROTSTEIN, 2010, p. 301), uma primeira forma pré-verbal de sentido ou de "conceito".

Pelo ângulo contrário, a identificação se torna alienante quando o "espelho" não corresponde ao objeto capaz de *rêverie*, o qual recebe e *transforma* as identificações projetivas da criança, mas ao objeto que se limita apenas a refletir e que, ao invés de ser "o seio que faz esquecer as angústias" (HOMERO, 1997, p. 689), acaba por devolvê-las com violência ampliada. Obviamente, o problema pode surgir também do fato de que, na presença de uma capacidade normal de *rêverie*, as identificações projetivas da criança são intensas demais. Olhar-se no espelho, ou melhor, permanecer fixado no estádio do espelho, é como proferir uma palavra que se espelha em si mesma, sendo incapaz de levar para outros significantes; trata-se, assim, de uma palavra fechada e, por isso mesmo, delirante, concreta. A identificação especular corresponderia, então, à ideia de que a ligação entre "S" e "s" não é arbitrária e de que as palavras são as coisas em vez de serem nomes *para* as coisas.

À luz desta premissa teórica, deveria ser evidente que o fato de criar a sua própria casa representa, no filme *O criado*, uma metáfora da construção/destruição da morada psicológica. A forte indicação neste sentido é exatamente o jogo de espelhos. Em *O criado*, os espelhos refletem continuamente as tentativas de triangulação na qual as várias personagens se engajam, mas sempre fracassam. A seguir, observaremos como isto ocorre.

4 Função α negativa

Em uma das cenas iniciais do filme, Tony e Hugo estão sozinhos. Na cena imediatamente posterior, Susan e Tony estão chegando em casa. Hugo abre a porta. Tony apresenta a mulher para o criado. Hugo se dispõe a pegar o seu casaco; Susan recusa de forma educada, ainda que gélida, e se afasta.

Logo depois, é possível ver os três refletidos em um espelho convexo: Tony no centro do quarto, Hugo perto da porta e Susan que passa entre eles percorrendo o diâmetro do espelho. O "não" de Susan se interpõe claramente entre Hugo e Tony e a sua relação especular, como se estivesse delimitando uma fronteira. Susan tenta opor-se à ambiguidade que intuiu naquela relação, empenhando-se em distanciar os dois, mas o faz de modo arrogante. Ela falha em sua intenção porque vai longe demais. Ela não contém a necessidade do frágil Tony de ser "cuidado" de forma materna, uma tarefa que, por sua vez, Barrett desenvolve muito bem.

A sequência antes descrita não é a única deste tipo: as entradas e as saídas de cena das personagens são frequentemente filmadas ao espelho, como se o diretor precisasse, ele também, de forma semelhante a Perseu em relação à Medusa, distanciar-se da sua matéria. Por exemplo, em uma cena seguinte, é possível observar o criado que aparece sozinho no espelho retangular acima da lareira e depois Susan, que entra no quarto de Tony. Losey não enquadra a porta pela qual Susan entra, mas filma a cena da forma com que pode ser vista no espelho, neste caso de forma elíptica. Ele usa os espelhos de modo intencional, e não porque estão lá como elementos da decoração.

A seguir, em outra cena, vemos Susan e Tony, enquanto Barrett aparece sozinho no espelho. A sua sombra se reflete na porta justo um momento antes de abri-la para Susan, que vai embora da casa. De maneira análoga, Vera, quando leva o café da manhã para Tony, tem a sua imagem refletida antes nas cortinas e depois no espelho. Um momento antes de se deixar seduzir por Vera, Tony aparece no espelho da porta de um móvel da cozinha. Depois, segue o enquadramento da mesma cena do lado oposto, mas, dessa vez, quem aparece no espelho é Vera. A seguir, os dois se abraçam enquanto Hugo está entrando em casa. Essa cena, em que os dois homens estão no espelho, acontece logo depois que Barrett se fez descobrir com Vera no quarto do casal do patrão.

Os espelhos, então, funcionam como um coral grego, mostrando Tony e Hugo como duas figuras do duplo. O mesmo vale, na versão feminina, para Susan e Vera: dois pares, quatro personagens, mas todos podem ser vistos como declinações da relação do masculino com o feminino e, a partir de uma perspectiva genética, também como ilustração do modelo de relacionamento mãe-criança diante do nascimento psíquico, o qual não acontece uma vez para todas, mas que se repete por ocasião do nascimento de cada nova ideia.

Estamos a meio caminho entre a *sacra conversazione* representada nos quadros de *Madona com menino* da pintura clássica e as cabeças cortadas por Salomé, Judite, Dalila, Lisabetta, etc. Ou seja, no centro encontra-se o núcleo do reconhecimento recíproco ou do espelhamento que funda o sujeito a partir de uma primeira alienação de si mesmo. Em *O criado*, esta dinâmica assume uma curvatura descendente. O campo psicológico que se cria entre as várias personagens expressa uma *rêverie* negativa. O espelho, que aparece com insistência, é a metáfora concreta do processo constante de definição recíproca que ocorre entre um sujeito e um objeto com uma função α invertida ou negativa. O resultado final é o desmoronamento da morada (psicológica).

Conforme o crítico Tom Sutpen observa, os tradicionais *manservants* a serviço da aristocracia inglesa eram essencialmente "homens-governantas e babás idosas" (SUTPEN, 2005). Se formos ainda além com a metáfora, entendemos porque a casa de *O criado* foi descrita como um "útero-prisão" que engole tanto Tony quanto Hugo (PETLEY, s.d.). Como vimos no resumo do enredo, Tony se deixa seduzir por Vera e perde Susan. A primeira é "incestuosa" e sedutora, a segunda soberba e fria; uma próxima demais e a outra excessivamente distante. Nesta dificuldade de encontrar a distância certa, a dupla Vera/Susan pode ser vista como o objeto materno real e/ou internalizado que não consegue introduzir o terceiro, o limite, a função ou a metáfora paterna, a dose tolerável de frustração capaz de permitir o desenvolvimento da psique, mas que é também incapaz de *rêverie*, na relação inicialmente narcísica, alienante, imaginária, especular, que para Lacan funda o nascimento do sujeito.

O acesso ao simbólico é barrado porque uma das duas é arrogante (para Bion, uma posição emocional ligada à posição esquizoparanoide) e a outra corrupta (Vera ignora a lei do incesto). Estes são os elementos que precipitam a queda do patrão. Tony e Barrett ficam presos na dinâmica lacaniana da atração erotizada e da agressividade para o duplo, em um balanço sem fim (o ciúme é o elemento-chave) e se encaminham na direção do suicídio moral (do Eu), ao passo que as duas mulheres simbolizam um materno que não está à altura da tarefa.

Os excessos, enquanto emoções violentas e in-contíveis relativamente às quais, no filme, os espelhos insistem em metaforizar através de fulminantes contrações ou dilatações dos espaços e com as deformações dos rostos e dos corpos, *estão na origem da forclusão psíquica,* aquilo que, a partir da relação, também invade, no plano intrapsíquico, a relação entre corpo e mente, semiótico e simbólico, sentido e significado, emoção e pensamento.

Ao deformar as figuras, o espelho lembra, toda vez, que as imagens da realidade, mesmo aquelas que parecem acuradas, são subjetivas e minimamente categoriais. A imagem refletida torna-se, assim, o protótipo de cada apresentação sensível, no sentido da *Darstellung*, que se forma na mente, como sugere também a presença da moldura. Mas também se refere à patologia da visão, isto é, aos fantasmas, aos pesadelos e às alucinações da realidade. Como afirma Pinter, é ao quebrar que o espelho mostra a verdade que nos observa do outro lado.

O espelho imediatamente divide cada personagem enquadrada, ressaltando tanto o contraste entre realidade material e realidade psíquica quanto a existência de cisões dentro da personalidade. Enfatiza, obviamente, também os seus traços narcísicos no sentido vulgar e técnico do termo. O espelho funciona como a moldura que junta os pedaços espalhados e convida para uma interpretação unitária das várias personagens, tratando-as como partes da mente, além de propor que se considere a sexualidade como associação de mentes ou sexualidade interna de uma só mente (FERRO, 1999). A última parte do filme vai ficando cada vez mais expressionista; e o espelho, mais deformante. As sombras que se estendem nas paredes ou nas cortinas da casa, figurações monstruosas do inconsciente, correspondem a espelhos. O sonho se transforma em um pesadelo.

Ao final do filme, de frente para a câmera e dirigindo-se diretamente para o espectador, Tony fixa o olhar em uma esfera de vidro que reflete o seu rosto invertido. É a imagem-símbolo da reversão do pensamento. A coisa extraordinária é que, nesse caso, de forma simétrica, é como se o próprio espectador estivesse se refletindo na esfera, em Tony, no filme: um dos exemplos mais extraordinários de transgressão das molduras narrativas (ou de metalepse) que eu conheça.

Os espelhos refletem, mas não transformam. No entanto, eles têm a função de introduzir ao virtual, à ideia da mente, do outro, mas, na falta de transformação (função α), isso se transforma no sentimento negativo de não poder confiar nos próprios sentidos. A descoberta da virtualidade do pensamento leva ao crescimento psíquico somente se outro fator for acrescentado, a *rêverie*. Se é verdade que "é preciso ser ao menos *dois* para sermos *humanos*" (KOJÈVE, 1996, p. 214), na descida ao inferno, na qual se resume o enredo do filme, podem ser vistos os efeitos negativos desta alienação, da introjeção de uma função α negativa. Desta maneira, uma dinâmica é ativada, empurrando cada vez mais para baixo em relação à capacidade de elaborar protoemoções e sensorialidade.

A incapacidade de simbolizar provoca a regressão do sujeito. De fato, no término do filme, ele não é mais o patrão na sua própria casa. Não surpreende que as drogas e a orgia do final sejam o único modo, evidentemente toxicomaníaco, que resta a Tony/Hugo para conter a violência destrutiva das emoções que não é capaz de transformar. Portanto, no filme, os espelhos metaforizam a comunicação inconsciente, que ocorre através das recíprocas identificações projetivas — a *conversazione* — entre diversas partes da mente, e a ausência de *rêverie*. Em uma parte da personalidade, domina uma função α negativa. As projeções não elaboradas retornam como terror sem nome, com maior virulência, conduzindo à perversão da mente.

5 Por que os espelhos refletem monstros?

A alegoria de Losey/Pinter pode ser generalizada em relação ao cinema: talvez seja esse o saber obscuro que aflora em muitos filmes em que a confrontação com o espelho é aquele momento dramático no qual, com horror, o protagonista se vê refletido nas feições de um monstro. Entre o espelhamento que faz crescer e aquele que mortifica, a relação é da mesma ordem que existe entre a fisiologia e a patologia de uma mesma função física ou psíquica. A alucinação do sósia, como no filme *Studente di Praga* [no Brasil, *O estudante de Praga*] de Stellan Rye (1913), protótipo do gênero, por exemplo, não é outra coisa senão o sintoma do fracasso do primeiro espelhamento com o objeto.

Depois do que foi dito até agora, entende-se melhor por que, em muitos filmes, o espelho não é o lugar no qual se constrói o sujeito, mas o local de onde saem os monstros. A lista é muito comprida: Bob em *Twin Peaks* (Lynch, 1990-1991); *Riflessi di paura* [no Brasil, *Espelhos do medo*] (Aja, 2008); *A broken life* [no Brasil, *Entre a vida e a morte*] (Coombs, 2008), no qual, antes de se suicidar, o protagonista atira no espelho. E, ainda, o homem ciborgue de *Tetsuo I* (Tsukamoto, 1988) que, ao se contemplar no espelho, descobre ter um transistor na bochecha, sinal da terrível mutação que está ainda por enfrentar; a mulher alucinada que se espelha em *Mulholland Drive* [no Brasil, *Cidade dos sonhos*] (Lynch,

2001); *Candyman* [no Brasil, *O mistério de Candyman*] (Rose, 1992), e assim por diante. São somente os primeiros títulos que vêm à mente.

O espelho introduz ao mundo dos sonhos, mas também àquele dos terrores noturnos e dos pesadelos. Aliás, quando aparece em um filme, qualquer espelho desempenha a mesma função que, na vida mental de cada um de nós, cabe ao sonho no interior do sonho, um produto peculiar da psique acerca do qual Freud se deteve apenas de forma breve. Como no sonho dentro do sonho, o dúplice enquadramento serve para enfocar um ponto específico, um conteúdo específico, como se estivéssemos direcionando dois faróis em cima de um ator em vez de deixá-lo na penumbra, ou como ocorre em certas pinturas, nas quais todos os jogos de perspectiva visam a enfocar um elemento-chave da cena inteira, função também desempenhada pelos espelhos em *O criado* e em muitas obras de pintores, de Velázquez a Vermeer, de Memling a Escher, etc.

Os monstros que saem dos espelhos são o parto da loucura e indicam que o indivíduo perdeu a possibilidade de atribuir um significado pessoal à experiência. O espelho revela o monstruoso e a morte, pois introduz à ilusionariedade do real e aos riscos do virtual, isto é, do pensamento insondável do outro. As coisas não são como parecem. A mãe sorri, mas, dentro dela, no espaço opaco da sua mente, não se sabe o que ela pensa. O espelho é o rosto da mãe. Como no conflito estético, o limiar do visível — aquilo que, favorecendo o acesso ao mental do pensamento, permite tolerar o invisível, o desconhecido, a ausência do outro, e, em definitivo, o abismo da ideia da morte — é a *rêverie* materna. Isto é, a própria capacidade da mãe de situar-se na ordem do simbólico, a sua capacidade de sonhar e de dar uma forma feliz às produções do imaginário.

CAPÍTULO VIII

The last riot e as decapitações estilo déjà-vu do coletivo AES + F[1]

Giuseppe Civitarese e Sara Boffito

[1] Para conhecer o vídeo, oportuno assistir às imagens colocadas no site do grupo (www.aes-group.org) além do seguinte link no YouTube: http://www.youtube.com/watch?v=g7TbvFyabrg&feature=related.

1 O infinito vazio e sem forma

Na 52ª Bienal de Veneza, em 2007, o Pavilhão russo apresentou um vídeo do coletivo AES+F intitulado *The last riot* ["O último motim"] (2005-2007)[1]. O acrônimo reúne as iniciais de quatro artistas: Tatiana Arzamasova, arquiteto conceitual; Lev Evzovich, que, além de artista visual, também é cineasta; Evgeny Svyatsky, especialista gráfico, e Vladimir Fridkes, fotógrafo de revistas de moda. A videoinstalação, com a duração aproximada de dezenove minutos, esteve entre as obras mais aclamadas da Exibição, tendo obtido sucesso em todos os lugares em que foi exibida.

Imagens poderosas e hipnóticas de um paraíso *sadiano* impregnado de um erotismo sutil e perverso, ao mesmo tempo em que possuem uma brutalidade insensata, se sucedem em câmera lenta, mostrando brevíssimas sequências através de três grandes telas dispostas em semicírculo em uma sala imersa na escuridão. Em uma espécie de Monte Olimpo, observamos belíssimos adolescentes de origem

---

1 Na verdade, existem duas versões do vídeo, *The last riot 1* e *2*. Neste trabalho, comentamos sem distinguir entre ambas devido à substancial homogeneidade dos conteúdos e das escolhas expressivas.

multiétnica, dotados de feições andróginas, usando regata ou exibindo os torsos nus, vestindo calças ou bermudas com estampa camuflada e tênis. Poderiam ser modelos prontos para desfilar para Benetton ou para Calvin Klein, mas eles estão engajados em lutas sangrentas e rituais de sacrifício. Alguns brandem tacos de basebol ou golfe, espadas compridas com lâmina curva ou reta, ou mesmo rifles *kalashnikov,* apontando-os para a garganta ou para a cabeça de alguns entre eles que estão com as mãos atadas.

A paisagem que fornece moldura à cena principal é uma animação digital evocando um panorama apocalíptico. É possível enxergar montanhas nevadas, desertos subjugados pelo vento, vulcões em erupção, dragões chineses sobre plataformas petrolíferas, trens que afundam, colisões entre aviões a jato e lançamentos de ogivas nucleares. A hibridação de elementos heterogêneos torna-se ainda mais surreal quando aparecem moinhos de vento, flamingos rosas, tanques armados, palmeiras, pagodes, catedrais, palas eólicas, caminhões, pontes metálicos moderníssimos, cisternas, rodas panorâmicas e atrações de parques temáticos.

O fascínio da instalação deve muito ao acompanhamento sonoro, que funciona como contraponto à repetição serializada das imagens. Em uma circularidade sugestiva, o tema extraordinário da marcha fúnebre da *Götterdämmerung* de Wagner flutua na atmosfera suspensa de notas puntiformes e, depois, no som estridente de ritmos pesados de percussões intercalados com sons estridentes e dissonantes, como se fossem sirenes de alarme descontroladas.

As decapitações nunca são levadas a cabo. Não existem vestígios de sangue nem expressões de dor. Os adolescentes assassinos não parecem sentir nada. Os rostos dos agressores e das vítimas estão impassíveis. Parecem entediados ou talvez já estejam mortos[2]. Somente aos animais é permitida uma vitalidade residual e agressiva: alguns pássaros se

---

2 Cf. a interpretação de Ginzburg (1981) acerca da enigmática expressão do rosto da figura central da *A flagelação de Cristo* de Piero della Francesca.

erguem em voo, uma lagartixa avança na areia e dois ratos acasalam freneticamente, induzindo nos espectadores um riso envergonhado e um vago sentimento de mal-estar.

O conjunto da obra é o produto de um citacionismo paroxístico. Passamos dos arquétipos iconográficos da pintura maneirista e barroca, sobretudo Caravaggio, aos conteúdos da cultura de massa, bem como às personagens e cenografias *imaginíficas*[3] dos videogames. De fato, ao realizar a obra, o coletivo se inspirou declaradamente em *America's Army*[4]. Trata-se do estilo do déjà-vu, conforme os próprios autores o definiram[5].

A cena de fantasia é um ambiente virtual em 3D gerado no computador e que faz pensar no universo *cyber* ideal. Não entendemos se a cena retrata realidade ou ficção. Não é possível distinguir os heróis dos vilões. Não existem vencedores nem vencidos. As diferenças entre homem e mulher, bem e mal, vítimas e carrascos, são anuladas. "Este mundo comemora o fim da ideologia, da História e da ética", conforme é possível ler no website do AES+F. Contudo, a utopia de uma humanidade sem tempo, captada no momento do seu esplendor máximo, parece ter se transformado em um pesadelo terrível.

O tempo está anulado, uma vez que não vai nem para frente nem para trás: a bobina se retrai completamente sobre si mesma por alguns segundos, as sequências dos garotos e dos cenários que os rodeiam se sucedem de forma cíclica e o vídeo inteiro recomeça ao final de cada projeção. A narração é suspensa, pois retorna de maneira contínua, e de várias formas, ao ponto de partida.

Exatamente por isso, pela ausência da História, disper-

---

3 N.T.: O neologismo "imaginífico", em português, significa "criador de imagens", derivando do termo italiano *immaginifico*, o qual surgiu na língua italiana por volta de 1700 como tradução do termo grego *idolopeo*.
4 Cf. o site: http://www.americasarmy.com/.
5 Cf. Sandals (2011): "Nós vivemos agora não apenas no universo real, mas também em um outro virtual, que nos insinua um sentimento constante de déjà-vu — obtemos todas essas informações dos filmes, da tevê, dos jovens. Talvez seja essa a definição mais justa do nosso trabalho artístico: o estilo do déjà-vu".

sada em uma série de eventos sem sentido e em um presente eterno e confuso, essa humanidade parece destinada a sucumbir. A morte chega também ao mundo glamoroso e tecnologicamente perfeito que pensava tê-la vencido. É um universo de adolescentes que imaginamos sem pais e sem mães[6]. Talvez os tenham perdido de forma traumática e, por isso, não puderam adquirir nenhum senso de ética. Para Freud, o desamparo (*Hilflosigkeit*) obriga a criança a um período muito longo de dependência dos pais e a confrontar-se, assim, com a ambivalência afetiva, além da necessidade de internalizar a Lei. Ou, talvez, sejam aqueles mesmos pais que cultivaram e realizaram o sonho de se autogerar, de vencer a morte, sem prever que, assim, acabariam sendo entregues ao terror da falta de sentido.

Contudo, esta não seria uma extraordinária alegoria do mundo globalizado em que vivemos, sem ideologias e cada vez mais deslocado na Rede? Até algum tempo atrás, a memória pessoal era importante, depois a confiamos aos sistemas materiais de armazenamento e, agora, ela está se transferindo para as nuvens da internet. Será que os múltiplos avatares da engenharia identitária aos quais nos dedicamos toda vez que entramos em uma comunidade virtual, assim como a possibilidade cada vez mais real de dispor de próteses tecnológicas que nos libertam da dependência do corpo, não ameaçam nos conduzir a uma cisão entre emoção e pensamento, corpo e mente, vida e significado? E, ainda mais, não ameaçam fazê-lo em um mundo como este em que a fragilidade psicológica, a doença e as guerras continuam sendo concretas demais?

Talvez seja essa a versão contemporânea do "infinito vazio e sem forma" (BION, 1973d, p. 208)[7] do qual fala Milton

---

[6] Poderia ser interessante a comparação com o mundo só de crianças descrito em *Il signore delle mosche* [no Brasil, *O senhor das moscas*] de Peter Brook (1963), baseado no renomado romance de William Golding. Também neste mundo, a ausência dos adultos faz surgir pulsões violentas.

[7] N.T.: BION, W. R. *Transformações*. Do aprendizado ao crescimento. Tradução de Paulo Cesar Sandler. Rio de Janeiro: Imago, 2004, p. 176.

em *Paraíso perdido*? Poderia ser contra esse vazio de sentido, agudamente percebido, que se dirige "o último motim" dos quatro artistas russos e dos anjos caídos do seu vídeo? A partir de um vértice que não é mais social, mas individual, seria possível entender a atualidade representada no vídeo também como a alegoria do paraíso perdido do útero-mente materna e, assim, como a descrição de uma paisagem completamente interna? Neste caso, o déjà-vu seria a repetição contínua de uma catástrofe que já ocorreu, bem como o pressentimento sombrio de que a nossa vida não passa de um produto de infinitos efeitos de transferência.

2 Narciso pós-moderno

The last riot perturba não tanto devido à *fashion violence*, conforme definida (PANERA CUEVAS, 2010) a partir dos gestos realizados pelos adolescentes, ou por causa da desolação da paisagem na qual estão imersos. As imagens parecem incoerentes, pois não aparentam possuir qualquer finalidade. Porém, no conjunto, elas seduzem e levam o espectador a confrontar-se com o sem forma, com o vazio e também com o belo nos seus aspectos mais inquietantes e obscuros.

O coração do enigma está na expressão ausente dos rostos dos adolescentes, nos olhos que fitam os espectadores sem refletir qualquer emoção. Não parece que eles percebem a dramaticidade das ações que praticam nem dos eventos ao seu redor. Mas, dessa forma, *The last riot* nos faz sentir e habitar a *distância* do real. O impacto com o real, um encontro que também é sempre confrontação, está na origem do conflito estético, representando uma colisão que nos põe em contato com o fosso existente entre emoção e experiência, realidade e símbolo.

Aqueles rostos petrificados na beleza fazem lembrar os bebês diante da beleza do rosto da mãe, pois não conseguiram dar um significado ao interior enigmático do seu corpo. Eles não puderam desenvolver uma função de imaginação criativa provavelmente porque lhes faltou uma *rêverie*, uma mente capaz de sonhá-los e de fornecer símbolos, as "mentiras benévolas" que permitem dar forma e nome à angústia sem nome (BION, 1973a, p. 178).

Na obra, o único espelho é aquele da água no qual se admira um Narciso pós-moderno, lânguido semideus de capa de revista, corifeu da superioridade do parecer sobre o ser, inalcançável avatar da humanidade imperfeita. Nesse mundo, a música não é aquela poderosa e dramática de Wagner, mas trata-se do som leve e cativante da alucinose ou, nas palavras de Meltzer, "o canto sedutor de sereias oniscientes"[8].

Enquanto espectadores, encontramo-nos em uma posição parecida àquela da criança descrita por Meltzer no conflito estético. Estamos divididos: admiramos a beleza dos corpos e ficamos perturbados, eis que temos dificuldade em entender o que acontece dentro deles e que tipo de enredo estão encenando. Olhando para os adolescentes de *The last riot*, esperaríamos enxergar os sinais de um sentimento de agitação ou de revolta, como o título sugere. Quase desejaríamos vê-los gritar, alcançar uma experiência emocional que, na sua violência, seja comum aos nossos e aos seus sentidos.

De resto, não se pode fazer nada mais para sair da Idade da Pedra, ou da glaciação. Frances Tustin, retomando uma poesia de Anne Brönte, compara o surgimento do congelamento emocional dos pacientes autistas ao "sofrimento gerado pelo calor", "uma sensação parecida com aquela experimentada quando uma extremidade sai do congelamento". O encontro com a beleza do mundo gera um "êxtase lancinante", um "prazer atormentado", "um estado de deliciosa pena" (TUSTIN, 1990, p. 179-180).

No sonho *cyber* do AES+F teríamos dificuldade para en-

---

[8] "Aquilo que chamei de conflito estético pode ser pensado como o impacto estético entre o aspecto externo da 'linda' mãe, acessível em todos os sentidos, e o seu interior, enigmático, que deve ser construído através da imaginação criativa. O problema consiste na capacidade ou não de tolerar esse sofrimento e não encontrar remédios simples, por exemplo, o canto sedutor de sereias oniscientes" (MELTZER, 2000).

contrar a bela ordem das duplas de conceitos com as quais nos aventuramos geralmente no mundo. Ao contrário, estamos perdidos no espaço desconhecido que se encontra entre os opostos: homem/mulher, inferno/paraíso, bem/mal, vítima/carrasco, destino/livre-arbítrio. O desafio proposto pelos artistas russos é construir e investigar uma ligação, uma linha, uma *caesura* como ponto de contato que, ao mesmo tempo, separa e une. Colocando-nos em um espaço em que todas as distinções desaparecem, *The last riot* obriga o público a pensá-las e, ao mesmo tempo, a ser confrontado pela sua arbitrariedade. Trata-se do mesmo convite dirigido a nós por Bion no momento em que sugere deixarmos de lado as díades de opostos com as quais representamos o mundo, passando a investigar, ao contrário, "a cesura, o elo, a sinapse, a (contra/trans)ferência, o humor transitivo-intransitivo" (BION, 1981, p. 99).

3 Transformação estética

O lugar no qual ocorre um diálogo criativo entre os opostos é o da transformação estética, mas, conforme nos lembra Meg Harris Williams:

> Um lugar assim, onde os contrários encontram-se e não são afastados nem conciliados, é transitório, mas não no sentido de um refúgio temporário da realidade. Pelo contrário, está impregnado de tensão e do perigo de colapso que efetivamente acompanham a mudança catastrófica (HARRIS WILLIAMS, 2010, p. 65)[9].

É um mundo no qual se pode perder a cabeça, ao ponto de ela ser decapitada no ato final deste "último motim" (*The last riot*), quase como se estivesse simbolizando a amputação, ou a formação falha, de uma mente, entendida aqui como

---

9   N.T.: HARRIS WILLIAMS, M. *O desenvolvimento estético*. O espírito poético da psicanálise. Ensaios sobre Bion, Meltzer e Keats. Tradução de Nina Lira Cecilio. São Paulo: Blucher, Karnac, 2018, p. 124.

órgão da simbolização construtor de ligações ou tecedor de histórias. Uma mente que não pode construir ligações acaba por agonizar, pois a sua respiração é dada pelo "jogo *móvel* das cesuras", o qual constitui a fonte do pensamento.

Sair do paraíso/inferno *cyber*, "penetrar a barreira", liberar os objetos petrificados: tais condutas somente são possíveis se adotarmos um pensamento *transitivo* que recorre a pontos de vista diferentes, tolera a ambiguidade e opõe cisões não patológicas à contraposição rígida dos opostos.

Encontrar uma conexão, uma ligação que transcenda a *caesura* (entre sono e vigília, entre consciente e inconsciente), é, no fundo, o verdadeiro desafio diante do qual se encontra o sonhador que lembra um sonho. Ele se interrogará certamente sobre o sentido e sobre a origem das imagens que o visitaram no sono, mas a lembrança do sonho será acompanhada, muitas vezes, por uma sensação de estranheza e de déjà-vu.

Trata-se das mesmas características que, de um ponto de vista muito diferente do bioniano, Christopher Bollas atribui à experiência estética, definida por ele como a modalidade principal de "redescoberta" do objeto transformacional na idade adulta: "O momento estético é uma cisão no tempo, quando o sujeito sente-se envolto em uma situação de equilíbrio e solidão pelo espírito do objeto" (BOLLAS, 2001, p. 40)[10]. Trata-se de uma experiência autossuficiente, pois, ainda que o sujeito esteja sozinho diante deste objeto, ele percebe estar vivendo um encontro íntimo. A experiência estética "proporciona à pessoa uma ilusão produtiva de ajustamento ao objeto" (BOLLAS, 2001, p. 41). Neste sentido, trata-se de uma forma de déjà-vu, uma recordação existencial de quando a comunicação acontecia através da correspondência entre sujeito e objeto transformacional (a mãe), evocada na experiência estética por meio da "sensação do

---

10 N.T.: A tradução dessa citação e da seguinte de Bollas (2001) foram extraídas da obra: BOLLAS, C. *A sombra do objeto*. Psicanálise do conhecido não pensado. Tradução de Rosa Maria Bergallo. Rio de Janeiro: Imago, 1992, p. 48-49.

inquietante"[11]. Inquietante, pois pode ser considerado algo inesperado, estranho. Bollas destaca que não é possível prever uma experiência estética: vivenciamos a profunda convicção que a ocasião foi escolhida para nós, o objeto sendo, para nós e naquele momento, considerado como a "mão do destino".

Grotstein descreve uma sensação de estranheza acerca da experiência onírica no primeiro capítulo de *Quem é o sonhador que sonha o sonho?*, relatando um sonho que ele recorda, não por acaso, devido à "sua beleza estética, à sua espiritualidade": "Eu percebia que este sonho *me acontecia*, mas não era *sonhado*, isto é, criado, por mim, ainda que o fosse [...] Tornei-me consciente de que ter a presunção de que fiz um sonho constituía uma forma de arrogância. Percebia, ao contrário, ter sido privilegiado por *ter tido a experiência* e por *ter sido testemunha* de um sonho que um Eu que nunca poderia conhecer tinha sonhado!" (GROTSTEIN, 2004, p. 35).

A natureza do sonhador é "inefável" (GROTSTEIN, 2004, p. 35), pois, se por um lado é verdade que o adjetivo através do qual o sonho é com mais frequência descrito, tanto dentro quanto fora da sala de análise, é provavelmente "estranho", por outro lado não existe nada mais "familiar" e "íntimo" do que o espaço onírico.

---

[11] Bollas identifica uma relação muito próxima entre experiência estética e relação primária. Ele define o idioma do cuidado da mãe, isto é, a modalidade através da qual ela se relaciona com a criança na sua especialíssima cultura relacional e a experiência disso por parte da criança, como a *primeira estética humana*. As experiências estéticas no adulto se baseiam, assim, na evocação dos momentos em que o mundo interior da criança recebe uma forma por parte da mãe. Para Bollas, o conceito de inquietante assume uma conotação bem diferente daquela apresentada no renomado ensaio freudiano de 1919, "O Estranho". Embora preserve o caráter central de estranheza, o inquietante na concepção *bollasiana* perde a conotação de angústia que o distingue em Freud, o qual reconduzia a presença dessa assustadora sensação ao retorno do recalcado, e, em especial, a uma "terrível angústia infantil". Para Bollas, aquilo que é evocado não é recalcado, mas simplesmente não pensado. Assim, Bollas chama o inquietante de "sentido separado", pois é capaz de atravessar as "barreiras impostas pelos limites da consciência" (BOLLAS, 1996, p. 33), considerando-o um dos ingredientes fundamentais da relação analítica, pois a relação com o analista, de forma parecida àquela estabelecida com a mãe, deve ser transformacional.

Não existem palavras melhores do que as usadas por Thomas Mann em *A montanha mágica* para descrever a sensação de déjà-vu, ainda mais porque esta experiência "acontece" para Hans Castorp, o protagonista revoltoso do romance, durante um sonho cujo cenário (ou seria mais adequado dizer cenografia?) apresenta aspectos parecidos aos existentes em *The last riot*. Passamos a relatá-lo, com a convicção de que a leitura deste sonho pode enriquecer e ser enriquecida pela análise da obra do AES + F[12].

4 O sonho de Hans Castorp

Exausto por causa de uma tempestade de neve, Hans Castorp encontra um abrigo, adormece e tem um sonho, que se inicia com a descrição de um parque paradisíaco no qual começa a cair uma chuva luminosa e doce. A chuva termina em um arco-íris "perfeitamente formado" e a paisagem se transforma e se desdobra "em progressiva transfiguração": "O azul a pairar em toda parte... Os véus luzentes da chuva iam caindo. Eis que surgiu o mar...". E é neste momento que Hans vive uma experiência de déjà-vu impregnada de êxtase:

> Hans Castorp jamais vira aquilo, nem coisa semelhante [...] E todavia *recordava-se*. Sim, por estranho que pareça, o que Hans Castorp fazia nesse momento era reconhecer. "Ah, sim! É isso!" — exclamou nele uma voz, como se tivesse levado no seu coração, desde tempos imemoriais, às escondidas e sem confessá-lo a si próprio, toda essa alegria azul, irradiada pelo sol. E esses "tempos imemoriais" eram vastos, infinitamente vastos, tal e qual o mar que se abria à sua esquerda, ali onde o céu, num tom delicado de violeta, descia até as águas.

---

12 N.T.: Os autores se referem, para as citações do sonho relatadas a seguir, à obra traduzida para o italiano de Thomas Mann, *La montagna magica* (2010, p. 723-732), o itálico tendo sido colocado pelos autores. A obra consultada em português foi: MANN, T. *A montanha mágica*. Tradução de Herbert Caro. Rio de Janeiro, Porto Alegre, São Paulo: Editora Globo, 1953, p. 504-509.

O cenário do sonho torna-se uma paisagem marinha, com promontórios, portos, lagunas, entre outros. Ela encontra-se habitada por jovens e belíssimos homens e mulheres: "Uma humanidade bela e jovem, sensata e jovial, tão agradável de se ver que o coração de Hans Castorp se dilatava todo num sentimento amplo, *quase doloroso, de amor*". Hans Castorp contempla com admiração os jovens cavalgarem, pescarem, exercitarem-se no tiro de arco, as garotas dançando e tocando à margem de uma enseada, as crianças jogando na água. Em seguida, ele enxerga, sentada "numa pedra redonda coberta de musgo", "uma jovem mãe que retirara de um dos ombros o vestido pardo e saciava a sede do filhinho". Os jovens, passando diante daquela figura, homenageiam-na com uma "mistura de reverência comedida e de amizade jovial".

Essa visão preenche Hans Castorp de um "sentimento de êxtase": "Não se cansava de olhar e contudo se perguntava, angustiado, se lhe era permitido olhar, se esse ato de encarar aquela felicidade civilizada, cheia de sol, não era um crime para ele, o intruso, que se sentia lerdo com os seus sapatos, e falto de nobreza e de garbo".

Bem no momento em que parece se sentir mais tranquilo, Hans Castorp cruza o olhar com um jovem que, com a visão direcionada para um ponto além das suas costas, assume "no semblante uma gravidade como que pétrea, *inexpressiva, insondável, um retraimento frio como a morte*".

Então ele vira a cabeça, acompanhando o olhar do jovem, e, ao enxergar as poderosas colunas de um templo, decide subir a escadaria que leva até ele. Avança com dificuldade até a parte superior, tentando não chegar ao centro do templo, mas sem poder evitar de voltar continuamente sobre seus passos, que o conduzem exatamente até o lugar aonde não gostaria de ir. Ele acaba por chegar na frente de uma estátua que representava "duas figuras de mulheres talhadas em pedra, sobre um pedestal, mãe e filha, segundo parecia". O coração de Hans se faz ainda mais pesado e ele sente que não gostaria de seguir adiante no templo:

Mal se animava e contudo se via forçado a contornar as figuras para franquear, atrás delas, a segunda colunata dupla. Aí encontrou aberta a porta brônzea do santuário, e os joelhos do pobre jovem quase que cederam diante do espetáculo que se lhe oferecia aos olhos estarrecidos. Duas mulheres grisalhas, seminuas, de cabelos desgrenhados, com seios pendentes de bruxa e mamelões do comprimento de um dedo, entregavam-se lá dentro, no meio de chamejantes braseiros, a manipulações horrorosas. Por cima de uma bacia esquartejavam uma criancinha. Dilaceravam-na com as mãos, num furioso silêncio — Hans Castorp divisou os finos cabelos loiros poluídos de sangue — e devoraram os pedaços. Os frágeis ossinhos estalavam entre as suas presas, e o sangue pingava dos lábios selvagens. Um pavor gélido paralisou Hans Castorp. Fez menção de tapar os olhos com as mãos e não o conseguiu. Quis fugir e não pôde. E elas acabavam de descobri-lo, no meio de sua atividade abominável. Agitaram os punhos ensanguentados, ralhando sem voz, mas com extrema vulgaridade, em termos obscenos, na gíria da terra de Hans Castorp.

Assim, o sonho se interrompe, embora Hans Castorp continue sonhando, mas, desta vez, são pensamentos em vez de imagens. Sonha com a interpretação de tudo aquilo, algo que reside naturalmente na relação entre vida, sexualidade e morte. "Mas quem conhece o corpo e a vida, conhece a morte. Isso, entretanto, não é tudo, mas apenas o começo, pedagogicamente falando. É preciso acrescentar a outra metade, o oposto. Pois todo o interesse pela morte e pela doença não passa de uma forma de exprimir aquele que se tem pela vida". Hans Castorp conclui, assim, "positivamente" a interpretação do seu sonho: "Mas agora, do pé da minha coluna, abre-se-me uma vista nada má... Sonhei com a posição do homem e sua comunidade polida, sisuda e respeitosa, a cujas costas se passava, no interior do templo, a medonha ceia sangrenta".

Classicamente, seria possível afirmar que, após ter uma intuição acerca do papel desempenhado pela morte no sonho, Hans Castorp nega essa evidência, defendendo-se com uma interpretação redentora e idílica. Thomas Mann expressou-se com grande lucidez a propósito do risco da interpretação freudiana, científica e saturada demais, com termos que lembram surpreendentemente aqueles usados por autores contemporâneos de matriz bioniana[13]:

> Enquanto artista, devo concordar que não estou completamente satisfeito e consolado pela ideia freudiana, ou pela sua fortuna. De fato, como artista, sinto-me perturbado e diminuído por Freud, pois, a partir das suas ideias, o artista é penetrado como por um facho de raios Roentgen, penetrado demais, até a violação do mistério da ação. Também Freud sabe demais e acaba por conhecer demais, violando, assim, as raízes da nossa espontaneidade, da nossa virgindade. Sofremos, hoje, por um excesso de conhecimento. O nosso cerebralismo excessivo é fruto do excesso do nosso conhecimento. Por isso, não conseguimos mais sequer ter uma apreensão espontânea do mundo e uma nativa figuração da vida [...] A tarefa que eu enxergo [...] é aquela de alcançar o milagre de uma ingenuidade após o saber, de uma inocência após o conhecimento (SORANI, 1925).

A experiência estética, então, como foi mencionado em um momento anterior deste volume, é eminentemente emocional e nunca poderá receber uma explicação apenas com base em princípios racionais, não sendo possível fechá-la em uma interpretação. O mesmo vale para os sonhos. Thomas Mann sabe bem disso quando diz — quase em termos bionianos, *ante litteram* — que Castorp "prosseguia sonhando, se não em imagens, ao menos em pensamentos".

---

[13] Pensemos, por exemplo, em Ogden (2009) ou nas reflexões de Ferro acerca das interpretações insaturadas ou narrativas.

O jovem protagonista de *A montanha mágica* precisa continuar sonhando, pois aquilo que acabamos de contar pode certamente ser inserido na categoria dos pesadelos, isto é, dos "sonhos interrompidos", experiências nas quais, como diz Ogden, "o sonhar é interrompido em um ponto em que a capacidade do indivíduo de gerar pensamentos oníricos e de sonhá-los é completamente afetada pelos efeitos perturbadores da experiência emocional que está sendo sonhada" (OGDEN, 2008, p. 5). Ogden pensa metaforicamente nos pacientes que consultam um analista como indivíduos que sofrem de pesadelos, ou seja:

> De sonhos que são tão assustadores que interrompem o trabalho psicológico que ocorre tanto no sonhar durante o sono quanto nos sonhos inconscientes quando estamos acordados [...] O paciente que acorda de um pesadelo atingiu o limite da sua capacidade de sonhar sozinho. Ele precisa da mente de outra pessoa — "que tenha conhecido a noite" — para ajudá-lo a sonhar aqueles aspectos do seu pesadelo que ainda devem ser sonhados (OGDEN, 2008, p. 6)[14].

É provável que também *The last riot*, com a sua enigmaticidade, possa ser lido como um sonho interrompido que o espectador deve continuar a sonhar. Na sua parte de trabalho onírico, ele é ajudado pelo estilo déjà-vu dos artistas, facilitando, dessa forma, a ativação de um pensamento associativo. É assim que chegamos a Thomas Mann.

Muitos são ainda os pontos de contato entre o sonho de Thomas Mann (via Hans Castorp) e a obra (ou o sonho) do coletivo AES+F. O primeiro possui uma qualidade atmosférica marcada não somente pela angústia, mas também por um senso de suspensão. Já ressaltamos a forma por meio da qual o AES+F propõe, em *The last riot,* a utopia e o drama de

---

14 A esses pacientes, Ogden contrapõe aqueles que sofrem de terrores noturnos. Nos casos em que nenhum pensamento onírico é gerado, os pacientes devem ser ajudados a sonhar a experiência que não pode ser sonhada.

uma humanidade sem tempo, e sabemos que, no romance de Mann, "a *abolição do senso das medidas do tempo* é o aspecto principal da maneira de existir e de habitar dos hóspedes do Berghof" (RICOEUR, 1987, p. 187). Essa é a tese de Paul Ricoeur, o qual dedica ao *Zauberberg* ["A montanha mágica"] um dos capítulos do segundo volume da trilogia *Tempo e narrativa*, chamado de *A configuração do tempo na narrativa de ficção*. Ricoeur considera o capítulo intitulado *Neve*, que contém o sonho, como um dos pontos cruciais do romance, uma vez que a neve (também presente nas paisagens de *The last riot*) é o elemento espacial da experiência temporal, é o "silêncio eterno" que une espaço e tempo dentro de uma única unidade simbólica (RICOEUR, 1987, p. 209).

Como já observamos, neste espaço suspenso da ambiguidade habita o conflito estético, o qual se apresenta no sonho de Hans Castorp com modalidades muito parecidas, embora certamente mais evidentes, àquelas constantes em *The last riot*. Também aqui tudo começa com o déjà-vu: Hans Castorp *recorda* o mar, símbolo do materno por excelência, embora nunca o tenha visto. Donald Meltzer e Meg Harris Williams descrevem a criança que admira a mãe como alguém que "veio para uma terra estranha onde ele desconhece a linguagem e também as indicações e comunicações não verbais costumeiras", sendo-lhe oferecida "uma experiência dúbia" (MELTZER; HARRIS WILLIAMS, 1989, p. 41)[15] e que, como Castorp no seu sonho, procura indícios para orientar-se diante da beleza.

De fato, logo após a experiência de reconhecimento, Castorp vê uma mãe amamentar a sua criança e, diante de tal beleza, as personagens do sonho parecem vivenciar sentimentos de "reverência e de temor sagrado" — o *sense of awe* descrito por Bion. Aquilo que impressiona, e que reconduz a mente para *The last riot*, é que a mudança de

---

15 N.T.: MELTZER, D.; HARRIS WILLIAMS, M. *A apreensão do belo:* o papel do conflito estético no desenvolvimento, na violência e na arte. Tradução de Paulo Cesar Sandler. Rio de Janeiro: Imago, 1994, p. 44.

cena, a virada do clima emocional na direção da angústia, é dada pelo encontro com um olhar que não reflete, uma expressão *inexpressiva, insondável, um retraimento frio como a morte*. É nesse momento que o coração de Hans Castorp é preenchido pela dor e, penetrando no templo (o corpo da mãe?), ele vê o feminino transformar-se e realizar uma violência extrema, indizível, uma violência que fala a "língua materna". Meltzer e Harris Williams também ressaltam como a aproximação a um espaço privado do outro, aos seus vínculos de privacidade, pode conduzir, por um lado, à intimidade e, por outro, à violência. Segundo os autores, a degradação é o fator que transforma as fronteiras da confidencialidade naquelas não protegidas, da violação. A beleza degradada dos objetos leva a uma "capacidade degradada para se experimentar o impacto estético no self" (MELTZER; HARRIS WILLIAMS, 1989, p. 92-93)[16].

O sonho de Hans Castorp parece nos mostrar que tal violência e degradação habitam a cena que se revela ao olhar incerto, mas confiante, de quem (a criança) vive "uma experiência dúbia" quando não pode encontrar o olhar de outro, ou a sua mente, de forma sincronizada, e por causa disso não pode viver a experiência impregnada de êxtase do *at--one-ment*, de ser um só.

---

16 N.T.: MELTZER, D.; HARRIS WILLIAMS, M. *A apreensão do belo:* o papel do conflito estético no desenvolvimento, na violência e na arte. Tradução de Paulo Cesar Sandler. Rio de Janeiro: Imago, 1994, p. 102.

Referências

ABRAHAM, K. Il processo d'introiezione nella melanconia: due stadi della fase orale dello sviluppo libidico. Tradução para o italiano de T. Cancrin. *In*: ABRAHAM, K. *Opere*. Torino: Bollati Boringhieri, 1975, v. I.

ADAMSON, W. *Avant-garde Florence*: from Modernism to Fascism. Cambridge: Harvard University Press, 1993.

ANZIEU, D. *Il gruppo e l'inconscio*. Tradução para o italiano de G. Pavan. Roma: Borla, 1979.

ANZIEU, D. *L'io-pelle*. Tradução para o italiano de A. Verdolin. Roma: Borla, 1987.

AUGÉ, M. *Nonluoghi*. Introduzione a una antropologia della surmodernità. Tradução para o italiano de D. Rolland e C. Milani. Milano: Eléuthera, 2009.

AULAGNIER, P. *La violenza dell'interpretazione*. Dal pittogramma all'enunciato. Tradução para o italiano de A. Luchetti. Roma: Borla, 1994.

BARALE, F. Alle origini della psicoanalisi. Freud, Lipps e la questione del "sonoro-musicale". *Rivista di Psicoanalisi*, v. 54, n. 1, 2008.

BARATTO, M. Struttura narrativa e messaggio ideologico. *In*: LAVAGETTO, M. (Org.). *Il testo moltiplicato*. Lettura di una novella del "Decameron". Parma: Pratiche, 1982.

BARTHES, R. *Frammenti di un discorso amoroso*. Tradução para o italiano de R. Guidieri. Torino: Einaudi, 1979.

BARTHES, R. *Il piacere del testo*. Tradução para o italiano de L. Lonzi. Torino: Einaudi, 1999.

BARTHES, R. *Le discours amoureux*. Seminaire à L'École des hautes études. Paris: Seuil, 2007.

BAYARD, P. Is it possible to apply literature to psychoanalysis? *American Imago*, v. 56, n. 3, 1999.

BAYARD, P. *Peut-on appliquer la littérature à la psychanalyse?* Paris: Minuit, 2004.

BECKER, J. *Nationalism and culture*. Gabriele D'Annunzio and Italy after the Risorgimento. New York: Peter Lang, 1994.

BENJAMIN, W. *Angelus Novus*. Saggi e frammenti. Tradução para o italiano de R. Solmi. Torino: Einaudi, 1976.

BION, W. R. *Esperienze nei gruppi e altri saggi*. Tradução para o italiano de S. Muscetta. Roma: Armando, 1971.

BION, W. R. *Analisi degli schizofrenici e metodo psicoanalitico*. Roma: Armando, 1973a.

BION, W. R. *Attenzione e interpretazione*. Tradução para o italiano de A. Armando. Roma: Armando, 1973b.

BION, W. R. *Gli elementi della psicoanalisi*. Tradução para o italiano de G. Hautmann. Roma: Armando, 1973c.

BION, W. R. *Trasformazioni*. Il passaggio dall'apprendimento alla crescita. Tradução para o italiano de G. Bartolomei. Roma: Armando, 1973d.

BION, W. R. Caesura. *In*: BION, W. R. *Il cambiamento catastrofico*. Tradução para o italiano de G. Bartolomei. Torino: Loescher, 1981.

BLEGER, J. Psicoanalisi del setting psicoanalitico. *In*: GENOVESE, C. (Org.). *Setting e processo psicoanalitico*. Milano: Raffaello Cortina, 1988.

BLOM, P. *The Vertigo Years*. Change and culture in the West, 1900-1914. London: Weidenfeld & Nicolson, 2008.

BOCCACCIO, G. *Decameron*. (Org. por V. Branca). Torino: Einaudi, 1992.

BOKANOWSKI, T. L'incesto: una figura traumatica della seduzione. *In*: *Quaderni di Psicoterapia Infantile*. Tradução para o italiano de N. I. Ferro, 2002, v. 45.

BOLDT-IRONS, L.; FEDERICI, C.; VIRGULTI, E. (Org.). *Beauty and the abject*. New York: Peter Lang, 2007.

BOLLAS, C. *Cracking up*. Tradução para o italiano de C. Spinoglio. Milano: Raffaello Cortina, 1996.

BOLLAS, C. *L'ombra dell'oggetto*. Psicoanalisi del conosciuto non pensato. Tradução para o italiano de D. Molino. Roma: Borla, 2001.

BORGES, J. L. Pierre Menard, autore del "Chisciotte". *In*: BORGES, J. L. *Finzioni*. Tradução para o italiano de F. Lucentini. Torino: Einaudi, 1955.

BORGES, J. L. Il sogno di Coleridge. *In*: BORGES, J. L. *Tutte le opere*. Milano: Mondadori, 2005, v. I.

BROOKS, P. *Psychoanalysis and storytelling*. Oxford: Wiley-Blackwell, 1994.

BUTLER, J. *Scambi di genere*. Identità, sesso e desiderio. Tradução para o italiano de R. Zuppet. Firenze: Sansoni, 2004.

CAPELLO, F. Corrado Govoni: the city as the fragmented mirror of the self. *In*: *The Modern Language Review*, v. 104, n. 2, 2009a.

CAPELLO, F. Resenha da obra de Braddock e Lacewing (Eds.): The academic face of psychoanalysis. *The International Journal of Psychoanalysis*, v. 90, n. 5, 2009b.

CAPELLO, F.; CIVITARESE, G. Changing styles, affective continuities and psychic containers: Corrado Govoni's Early Poetry. *Journal of Romance Studies*, 2010, v. 10, n. 3.

CARETTI, L. Nota a C. Govoni. Vas luxuriae. *Strumenti Critici*, n. 28, Torino, 1975.

CARETTI, L. Govoni "inedito". *Sul Novecento*. Pisa: Nistri-Lischi, 1976.

CARPI, U. Govoni 1915. *In*: FOLLI, A. (Org.) *Corrado Govoni*: atti delle giornate di studio. Bologna: Cappelli, 1984.

CASSULLO, G. Freud, Abraham, Ferenczi y el problema de la identificación: un debate a tres voces. *In*: BOSCHÀN P.

(Ed.). *Sándor Ferenczi y el psicoanálisis del siglo XXI*. Buenos Aires: Letra Viva/ASaFer, 2011.

CESERANI, R. Italy and Modernity. Peculiarities and contradictions. *In*: SOMIGLI, L.; MORONI, M. (Orgs.). *Italian modernism*. Italian culture between Decadentism and Avant-garde. Toronto: Toronto University Press, 2004.

CHEVALIER, J.; GHEERBRANT, A. *Dizionario dei simboli*. Tradução para o italiano de M. G. Margheri Piero-ni, L. Mori e R. Vigevani. Milano: Rizzoli, 1994.

CIVITARESE, G. Bion e la ricerca dell'ambiguità. *L'educazione sentimentale*, n. 8, 2006.

CIVITARESE, G. Sognare l'analisi. *In*: FERRO, A. et al. *Sognare l'analisi*. Sviluppi clinici del pensiero di Wilfred R. Bion. Torino: Bollati Boringhieri, 2007.

CIVITARESE, G. Differenza (una certa) identità transfert. *In*: CIVITARESE, G. *L'intima stanza*. Teoria e tecnica del campo analitico. Roma: Borla, 2008.

CIVITARESE, G. Differenza (una certa) identità transfert. *In*: CIVITARESE, G. *L'intima stanza*. Teoria e tecnica del campo analitico. Roma: Borla, 2008.

CIVITARESE, G. *L'intima stanza*. Teoria e tecnica del campo analitico. Roma: Borla, 2008.

CIVITARESE, G. Abjection and aesthetic conflict in Boccaccio's "(L)Isabetta". *Journal of Romance Studies*, v. 10, n. 3, 2010a.

CIVITARESE, G. Do cyborgs dream? Post-human landscapes in Shinya Tsukamoto's "Nightmare Detective" (2006). *The International Journal of Psychoanalysis*, v. 91, 2010b.

CIVITARESE, G. Le parentesi di Ogden ovvero della continuità dell'esperienza cosciente e inconscia. *Rivista di Psicoanalisi*, v. 56, 2010c.

CIVITARESE, G. "Caesura" come il discorso di Bion sul metodo. *In*: CIVITARESE, G. *La violenza delle emozioni*. Bion e la psicoanalisi postbioniana. Milano: Raffaello Cortina, 2011a.

CIVITARESE, G. Conflitto estetico e funzione α. *In*: CIVITARESE, G. *La violenza delle emozioni*. Bion e la psicoanalisi postbioniana. Milano: Raffaello Cortina, 2011a.

CIVITARESE, G. *La violenza delle emozioni*. Bion e la psicoanalisi postbioniana. Milano: Raffaello Cortina, 2011a.

CIVITARESE, G. Fingere per esistere. Schermo del sogno e nascita della psiche in "Persona" di Ingmar Bergman. *Impronte*, v. 12, n. 1, 2011b.

CIVITARESE, G.; FORESTI, G. La fragilità/brutalità del mondo nell'opera di Georg/George Groß/Grosz. *In*: BEDONI, G. (Org.). *La lente di Freud*. Milano: Mazzotta, 2008.

CONRAD, J. *Cuore di tenebra*. Tradução para o italiano de A. Rossi e G. Sertoli. Torino: Einaudi, 1999.

CONTINI, G. *Diligenza e voluttà*. Ludovica Ripa di Meana interroga Gianfranco Contini. Milano: Mondadori, 1989.

CROCE, B. *Poesia e non poesia*: note sulla letteratura europea del secolo decimonono. Bari: Laterza, 1964.

CROCE, G. della. *Notte oscura*. Tradução para o italiano de S. Giordano. Roma: OCD, 2003.

CROCE, G. *Cantico spirituale*. Tradução para o italiano de Carmelo di Legnano. Milano: Paoline, 2004.

CURI, F. Marinetti e Breton: "Parole in libertà" e "Scrittura automatica". *Poetiche*, v. 13, n. 1, 2009.

DERRIDA, J. Freud e la scena della scrittura. *In*: DERRIDA, J. *La scrittura e la differenza*. Tradução para o italiano de G. Pozzi. Torino: Einaudi 1971.

DIJKSTRA, B. *Idoli di perversità*. La donna nell'immaginario artistico filosofico letterario e scientifico fra Otto e Novecento. Tradução para o italiano de M. Farioli. Milano: Garzanti, 1988.

DIJKSTRA, B. *Perfide sorelle*. La minaccia della sessualità femminile e il culto della mascolinità. Tradução para o italiano de M. Premoli. Milano: Garzanti, 1997.

DOLTO, F.; NASIO, J.D. *Il bambino dello specchio*. Tradução para o italiano de G. Zamboni. Genova- Milano: Marietti, 2011.

DOSTOEVSKIJ, F. *Memorie da una casa morta*. Milano: Rizzoli, 2007.

ECO, U. *Opera Aperta*. Milano: Bompiani, 1962.

ECO, U. Sugli specchi. *In*: ECO, U. *Sugli specchi e altri saggi*. Il segno, la rappresentazione, l'illusione, l'immagine. Milano: Bompiani, 1985.

ECO, U. La verità? È solo nella finzione. *La Repubblica*, 2009, p. 43.

EIGEN, M. *Ecstasy*. Middletown: Wesleyan University Press, 2001.

FERRO, A. *La psicoanalisi come letteratura e terapia*. Milano: Raffaello Cortina, 1999.

FERRO, A. Leggere la psicoanalisi: il piacere e l'avventura dell'esplorazione. *Rivista di Psicoanalisi*, v. 50, n. 2, 2004.

FERRO, A. Riflessioni preliminari su Psicoanalisi e Narratologia. *Funzione Gamma*, n. 17, 2006.

FERRO, A. *Evitare le emozioni, vivere le emozioni*. Milano: Raffaello Cortina, 2007.

FERRO, A. Trasformazioni in sogno e personaggi nel campo psicoanalitico. *Rivista di Psicoanalisi*, v. 55, n. 2, 2009.

FERRO, A. *Tormenti di anime*. Passioni, sintomi, sogni. Milano: Raffaello Cortina, 2010.

FORNARI, F. *I fondamenti di una teoria psicoanalitica del linguaggio*. Torino: Bollati Boringhieri, 1979.

FRAYZE-PEREIRA, J. A. Psychoanalysis, science, and art. *In*: *The International Journal of Psychoanalysis*, v. 88, n. 2, 2007.

FREUD, S. Analisi terminabile e interminabile. Tradução para o italiano de R. Colorni. *In*: FREUD, S. *Opere*. Torino: Bolatti Boringhieri, 1981, vol. XI.

FREUD, S. Il motto di spirito e la sua relazione con l'inconscio. Tradução para o italiano de S. Daniele e E. Sagittario. *In*: FREUD, S. *Opere*. Torino: Bolatti Boringhieri, 1981, vol. V-a.

FREUD, S. Il perturbante. Tradução para o italiano de S. Daniele. *In*: FREUD, S. *Opere*. Torino: Bolatti Boringhieri, 1981, vol. IX.

FREUD, S. Lutto e Melanconia. Tradução para o italiano de R. Colorni. *In*: FREUD, S. *Opere*. Torino: Bolatti Boringhieri, 1981, vol. VIII.

FREUD, S. *Progetto di una psicologia*. Tradução para o italiano de E. Sagittario. *In*: FREUD, S. *Opere*. Torino: Bolatti Boringhieri, 1981, vol. II.

FREUD, S. *Risposta a un questionario sulla lettura e sui buoni libri*. Tradução para o italiano de A. Cinato. *In*: FREUD, S. *Opere*. Torino: Bolatti Boringhieri, 1981, vol. V-b.

FREUD, S. *Osservazioni psicoanalitiche su un caso di paranoia (Dementia Paranoides) descritto autobiograficamente (Caso clinico del Presidente Schreber)*. Tradução para o italiano de R. Colorni e P. Veltri. *In*: FREUD, S. *Opere*. Torino: Bolatti Boringhieri, 1981, vol. VI.

FREUD, S. *Lettere a Fliess (1887-1904)*. Tradução para o italiano de M. A. Massimello. Torino: Bollati Boringhieri, 1986.

FUSINI, N. *Di vita si muore*. Lo spettacolo delle passioni nel teatro di Shakespeare. Milano: Mondadori, 2010.

GADDINI, E. Fantasie difensive precoci e processo psicoanalitico. *Rivista di Psicoanalisi*, v. 28, 1982.

GALLO, F. *Nietzsche e l'emancipazione estetica*. Roma: Manifestolibri, 2004.

GENETTE, G. *Métalepse*. De la figure à la fiction. Paris: Seuil, 2004.

GENTILE, E. *The struggle for modernity*. Nationalism, Futurism and Fascism. Westport and London: Praeger, 2003.

GENTILE, E. *L'apocalisse della modernità*. Milano: Mondadori, 2008.

GINZBURG, C. *Indagini su Piero*. Il Battesimo. Il Ciclo di Arezzo. La Flagellazione di Urbino. Torino: Einaudi, 1981.

GINZBURG, C. Spie. Radici di un paradigma indiziario. *In*: GINZBURG, C. *Miti emblemi spie*. Torino: Einaudi, 1986.

GOVONI, C. *Poesie elettriche*. Milano: Edizioni futuriste di "Poesia", 1911.

GOVONI, C. *Inaugurazione della primavera*. Firenze: La Voce, 1915.

GOZZANO, G. *Poesie e prose*. A cura di Alberto de Marchi. Milano: Garzanti, 1961.

GREEN, A. *Narcisismo di vita, narcisismo di morte*. Tradução para o italiano de L. Felici Montani. Roma: Borla, 1985.

GROTSTEIN, J. S. *Chi è il sognatore che sogna il sogno?* Uno studio sulle presenze psichiche. Roma: Magi, 2004.

GROTSTEIN, J. S. *Il modello kleiniano-bioniano*. Vol. I. Milano: Raffaello Cortina, 2011.

GROTSTEIN, J. S. *Un raggio di intensa oscurità*. L'eredità di Wilfred Bion. Tradução para o italiano de I. Negri. Milano: Raffaello Cortina, 2010.

HARAWAY, G. A Cyborg Manifesto. Science, technology, and socialist-feminism in the late twentieth century. *In*: HARAWAY, G. *Simians, cyborgs and women*. The reinvention of nature. New York: Routledge, 1991.

HARRIS WILLIAMS, M. *The aesthetic development:* the poetic spirit of psychoanalysis. Essays on Bion, Meltzer, Keats. London: Karnac, 2010.

HARRIS WILLIAMS, M.; WADDELL, M. *The chamber of maiden thought*: literary origins of the psychoanalytic model of the mind. London: Routledge, 1991.

HARRISON, R. P. The magic of Leopardi. *The New York Review of Books*, v. 58, n. 2, 2011.

HOMERO. *Iliade*. Tradução para o italiano de G. Paduano. Torino: Einaudi, 1997.

JAUREGUI, I. Psychology and literature. The question of reading otherwise. *The International Journal of Psychoanalysis*, v. 83, n. 5, 2002.

JENNINGS, E. M. The text is dead: Long live the techst. *Postmodern Culture*, v. 2, n. 3, 1992.

KÄES, R. *L'idéologie, études psychanalytiques*: mentalité de l'idéal et esprit de corps. Paris: Dunod, 1980.

KÄES, R. *L'institution et les institutions*: études psychanalytiques. Paris: Dunod, 1987.

KÄES, R. *Il gruppo e il soggetto del gruppo*. Elementi per una teoria psicoanalitica del gruppo. Tradução para o italiano de E. Cimino. Roma: Borla, 1994.

KÄES, R. Il disagio del mondo moderno e la sofferenza del nostro tempo. Saggio sui garanti metapsichici. *Psiche*, v. 13, n. 2, 2005.

KÄES, R.; FAIMBERG, H.; ENRIQUEZ, M. (Orgs.). *Trasmissione della vita psichica tra generazioni*. Tradução para o italiano de A. Verdolin. Roma: Borla, 1995.

KAVAFIS, K. *Settantacinque poesie*. Tradução para o italiano de N. Risi e M. Dalmàti. Torino: Einaudi, 1997.

KIRSHNER, L. The work of René Käes. Intersubjective transmission in families, groups and culture. *In*: *Journal of the American Psychoanalytic Association*, v. 54, n. 3, 2006.

KHAN, M. R. La psicologia del sogno e l'evoluzione della situazione analitica. *In*: KHAN, M. R. *Lo spazio privato del sé*. Tradução para o italiano de C. Varon Ronchetti. Torino: Bollati Boringhieri, 1979.

KHAN, M. R. Uso e abuso del sogno. *In*: KHAN, M. R. *Lo spazio privato del sé*. Tradução para o italiano de C. Varon Ronchetti. Torino: Bollati Boringhieri, 1979.

KOJÈVE, A. Introduzione alla lettura di Hegel. Tradução para o italiano organizada por G. F. Frigo, Milano: Adelphi, 1996.

KRISTEVA, J. *La rivoluzione del linguaggio poetico*. Tradução para o italiano de S. Eccher Dall'Eco, A. Musso e G. Sangalli. Milano: Spirali, 2006a.

KRISTEVA, J. *Melanie Klein*. La madre, la follia. Tradução para o italiano de M. Guerra. Roma: Donzelli, 2006b.

KRISTEVA, J. *Poteri dell'orrore*. Saggio sull'abiezione. Tradução para o italiano de A. Scalco. Milano: Spirali, 2006c.

KRISTEVA, J. *La testa senza il corpo*. Il viso e l'invisibile nell'immaginario dell'Occidente. Tradução para o italiano de A. Piovanello. Roma: Donzelli, 2009.

LACAN, J. *Il seminario*. Libro III. Le psicosi 1955-1956. Tradução para o italiano de A. Di Ciaccia. Torino: Einaudi, 2010.

LACAN, J. *Scritti*. Tradução para o italiano de G. Contri. Torino: Einaudi, 2002.

LAVAGETTO, M. (Org.). *Il testo moltiplicato*. Lettura di una novella del "Decameron". Parma: Pratiche, 1982.

LAVAGETTO, M. Svevo, la psicanalisi, la crisi della critica. Intervista a Mario Lavagetto. *Allegoria*, v. 50-51, n. 17, 2005.

LEWIN, B. D. Sleep, the mouth, and the dream screen. *In*: *The Psychoanalytic Quarterly*, v. 15, n. 4, 1946.

LITTELL, J. *Il secco e l'umido*. Tradução para o italiano de M. Botto. Torino: Einaudi, 2009.

LIVI, F. *Tra crepuscolarismo e futurismo, Govoni e Palazzeschi*. Milano: IPL, 1980.

LÓPEZ CORVO, R. *Dizionario dell'opera di Wilfred R. Bion*. Tradução para o italiano de M. Mosca. Roma: Borla, 2006.

LUCHETTI, A. Jean Laplanche: intervista sull'Inconscio. *Rivista di Psicoanalisi*, v. 46, n. 1, 2000.

LUPERINI, R. *Il Novecento*. Apparati ideologici, ceto intellettuale, sistemi formali nella letteratura italiana contemporanea. Torino: Loescher, 1981.

LYOTARD, J.-F. *La condizione post-moderna*. Rapporto sul sapere. Tradução para o italiano de C. Formenti. Milano: Feltrinelli, 2002.

MAGRELLI, V. *Vedersi vedersi*. Modelli e circuiti visivi nell'opera di Paul Valéry. Torino: Einaudi, 2002.

MAGRIS, C. Impossibile ma necessario. *In*: AVIROVIC, L.; DODDS, J. (Orgs.). *Atti del Convegno Internazionale "Umberto Eco, Claudio Magris. Autori e traduttori a confronto"*. Trieste, 27-28 nov. 1989. Udine: Campanotto, 1993.

MANGINI, E. Sulla rimozione originaria. *Rivista di Psicoanalisi*, v. 55, n. 2, 2009.

MANN, T. *La montagna magica*. Tradução para o italiano de R. Colorni. Milano: Mondadori, 2010.

MANON, H. S. Comment ça, rien? Screening the gaze in "Caché". *In*: PRICE, B.; RODHES, J. D. *On Michael Haneke*. Detroit: Wayne State University, 2010.

MARIANI, G. Crepuscolari e futuristi: contributo a una chiarificazione. *Critica Letteraria*, n. 4, 1974.

MARINETTI, F. T. *Lussuria-velocità*. Milano: Modernissima, 1921.

MARINETTI, F. T. *Teoria e invenzione futurista*. A cura di Luciano De Maria. Milano: Mondadori, 1968.

MARINETTI, F. T. Selection from the unpublished diaries of F. T. Marinetti: Introduction and Notes by Lawrence Rainey and Laura Wittman. *Modernism/Modernity*, v. 1, n. 3, 1994.

MELTZER, D. *La comprensione della bellezza e altri saggi psicoanalitici*. Tradução para o italiano de A. Baruzzi. Torino: Loescher, 1981.

MELTZER, D. *La vita onirica*. Una revisione della teoria e della tecnica psicoanalitica. Tradução para o italiano de M. Harris Majo e A. Tonelli. Roma: Borla, 1989.

MELTZER, D. Entrevista concedida a M. Trinci. *In*: *L'Unità*, 2000.

MELTZER, D.; HARRIS WILLIAMS, M. *Amore e timore della bellezza*. Il ruolo del conflitto estetico nello sviluppo, nell'arte e nella violenza. Tradução para o italiano de F. Lussana. Roma: Borla, 1989.

MICHAELS, L. *Ingmar Bergman's "Persona"*. Cambridge: Cambridge University Press, 2000.

MOLINARI, E. Un corpo non sognato. La genesi del disturbo ipocondriaco. *In*: EGIDI MORPURGO, V.; CIVITARESE, G. (Orgs.). *L'ipocondria e il dubbio*. Milano: Franco Angeli, 2011.

NAPIER, E. R.; STUDHOLME, B. R. (Orgs.). *Marinetti, F. T. Selected Poems and Prose*. New Haven and London: Yale University Press, 2002.

NIETZSCHE, F. *La gaia scienza e idilli di Messina*. Tradução para o italiano de F. Masini. Milano: Adelphi, 2007.

OGDEN, T. H. Il concetto di identificazione proiettiva. *In*: OGDEN, T. H. *La identificazione proiettiva e la tecnica psicoterapeutica*. Tradução para o italiano de D. Maraini. Roma: Astrolabio, 1994.

OGDEN, T. H. *Rêverie e interpretazione*. Tradução para o italiano de G. Baldaccini e L. Riommi Baldaccini. Roma: Astrolabio, 1999a.

OGDEN, T. H. *Soggetti dell'analisi*. Tradução para o italiano de S. Gianetti e P. Leoni. Milano: Masson, 1999b.

OGDEN, T. H. *L'arte della psicoanalisi*. Sognare sogni non sognati. Tradução para o italiano de R. Voi e M. Simone. Milano: Raffaello Cortina, 2008.

OGDEN, T. H. *Riscoprire la psicoanalisi*. Pensare e sognare, imparare e dimenticare. Tradução para o italiano de C. Casnati. Milano: CIS, 2009.

ORLANDO, F. Costanti tematiche, varianti estetiche e precedenti storici. *In*: PRAZ, M. *La carne, la morte e il diavolo nella letteratura romantica*. Milano: Rizzoli, 2008.

PANERA CUEVAS, J. AES+F: Seduction and Amorality. *In*: *Artpulse*, v. 1, n. 4, 2010. Disponível em: artpulsemagazine.com/aesf-seduction-and-amorality/.

PECORARI, S. La creatività nel pensiero psicoanalitico post-kleiniano. *Allegoria*, v. 50-51, n. 17, 2005.

PERLOFF, M. *The futurist moment*. Avant-garde, avant guerre and the language of rupture. Chicago and London: The University of Chicago Press, 1986.

PETLEY, J. The Servant. Film (Movie) Plot and Review. Disponível em: www.filmreference.com/Films-Se-Sno/The-Servant.html.

PHILIPS, A. *Promises, Promises*. Essays on literature and psychoanalysis. London: Faber & Faber, 2000.

PIANIGIANI, O. *Vocabolario etimologico della lingua italiana*. Genova: I Dioscuri, 1988.

POGGI, C. *Inventing futurism*. The art and politics of artificial optimism. Princeton: Princeton University Press, 2009.

RAINEY, L.; WHITMAN, L. (Orgs.). Selection from the unpublished diaries of F.T. Marinetti. *Modernism/Modernity*, v. 1, n. 3, 1994.

RELLA, F.; MATI, S. *Nietzsche*: arte e verità. Una introduzione. Milano: Mimesis, 2008.

RICOEUR, P. *Tempo e racconto*. Volume 2: La configurazione nel racconto di finzione. Tradução para o italiano de G. Grampa. Milano: Jaca Book, 1987.

RIFFATERRE, M. *The fictional truth*. Chicago: John Hopkins University Press, 1990.

RILKE, R. M. *Elegie Duinesi*. Tradução para o italiano de E. e I. De Portu. Torino: Einaudi, 1978.

ROMBI, R. Il mio killer notturno nato da incubi infantili. *In*: *La Repubblica*, 2006.

ROSEN, C. Music and the Cold War. *The New York Review of Books*, v. 58, n. 6, 2011.

ROUSSET, J. *Leurs yeux se rencontrèrent*. Paris: José Corti, 1984.

SABBADINI, A. Comunicação pessoal. 2007.

SANDALS, L. AES+F Interview out in Today's Post. 30 mar. 2011. Disponível em: neditpasmoncoeur.blogspot.com/2011/03/aesf-interview-out-in-todays-post.html.

SASSANELLI, G. Il luogo del sogno. *Rivista di Psicoanalisi*, v. 33, n. 3, 1987.

SCHREBER, D. P. *Memorie di un malato di nervi*. Tradução para o italiano de F. Scardanelli e S. de Waal. Milano: Adelphi, 1974.

SEGRE, C. I silenzi di Lisabetta, i silenzi del Boccaccio. *In*: LAVAGETTO, M. (Org.). *Il testo moltiplicato*. Lettura di una novella del "Decameron". Parma: Pratiche, 1982.

SERPIERI, A. L'approccio psicoanalitico: alcuni fondamenti e la scommessa di una lettura. *In*: LAVAGETTO, M. (Org.). *Il testo moltiplicato*. Lettura di una novella del "Decameron". Parma: Pratiche, 1982.

SHIELDS, W. Imaginative literature and Bion's intersubjective theory of thinking. *The Psychoanalytic Quarterly*, v. 78, n. 2, 2009.

SIROIS, F. Aesthetic experience. *The International Journal of Psychoanalysis*, v. 89, n. 1, 2008.

SONTAG, S. *Where the stress falls*. New York: Farrar, Straus and Giroux, 2001.

SORANI, A. Colloquio con Thomas Mann. Il più grande romanziere tedesco. *La Stampa*, 1925.

SPACKMAN, B. *Decadent genealogies*. The rhetoric of sickness from Baudelaire to D'Annunzio. New York and London: Cornell University Press, 1989.

SPACKMAN, B. *Fascist virilities*. Rhetoric, ideology, and social fantasy in Italy. Minneapolis: University of Minnesota Press, 1996.

SAINTE-BEUVE, C. A. de. *Port Royal*. Tradução para o italiano de E. Bordino, F. Baldo e M. Bernardi. Torino: Einaudi, 2011.

SPERBER, D. *Il contagio delle idee*. Teoria naturalistica della cultura. Tradução para o italiano de G. Origgi. Milano: Feltrinelli, 1999.

SPERBER, D. L'individuel sous influence du collectif. *La recherche*: l'actualité des sciences. Société d'éditions scientifiques, 2001.

SPIRO, M. Culture and personality. The natural history of a false dichotomy. *Psychiatry*, v. 14, n. 1, 1951.

SPITZ, R. A. The primal cavity. *The Psychoanalytic Study of the Child*, v. 10, 1955.

STOLLER, R. *Perversione*. La forma erotica dell'odio. Tradução para o italiano de L. Sosio. Milano: Feltrinelli, 1978.

SUTPEN, T. Class dismissed: revisiting Losey and Pinter's misunderstood masterpiece, The Servant. *Bright lights film journal*. 30 abr. 2005. Disponível em: brightlightsfilm.com/wp-content/cache/all/class-dismissed-revisiting-losey-and-pinters-misunderstood-masterpiece-the-servant/#.W3LPDc5KjIU.

SWEETNAM, A. "Are you a woman or a flower?" The capacity to experience beauty. *The International Journal of Psychoanalysis*, v. 88, n. 6, 2007.

SYMINGTON, J.; SYMINGTON, N. *Il pensiero clinico di Bion*. Tradução para o italiano de S. Federici. Milano: Raffaello Cortina, 1998.

TAGLIAPIETRA, A. *La metafora dello specchio*. Lineamenti per una storia simbolica. Torino: Bollati Boringhieri, 2008.

TARIZZO, D. *Introduzione a Lacan*. Roma-Bari: Laterza, 2003.

THEWELEIT, K. *Fantasie virili*. Tradução para o italiano de G. Cospito. Milano: Il Saggiatore, 1997.

TODOROV, T. *Noi e gli altri*. La riflessione francese sulla diversità umana. Tradução para o italiano de A. Chitarin. Torino: Einaudi, 1991.

TRONICK, E. Why is connection with others so critical? The formation of dyadic states of consciousness. Coherence-governed selection and the co-creation of meaning. *In*: NADEL, J.; MUIR, D. (Orgs.). *Emotional Development*. Recent Research Advances. Oxford: Oxford University Press, 2005.

TUSTIN, F. *Barriere autistiche nei pazienti nevrotici*. Tradução para o italiano de I. Ardizzone e N. Boccianti. Roma: Borla, 1990.

VACCARI, W. *La vita e i pallidi amori di Guido Gozzano*. Milano: Omnia, 1958.

VARGAS LLOSA, M. *Elogio della lettura e della finzione*. Tradução para o italiano de P. Collo. Torino: Einaudi, 2011.

VITALE, S. *La dimora della lontananza*. Saggi sull'esperienza dello spazio intermedio. Bergamo: Moretti & Vitali, 2005.

WELLDON, E. *Mother, Madonna, Whore*. Idealization and denigration of motherhood. London: Free Association Books, 1988.

WIMSATT, W. K.; BEARDSLEY, M. C. The intentional fallacy. *The Sewanee Review*, v. 54, 1946.

WINNICOTT, D. W. L'intelletto ed il suo rapporto con lo psiche-soma. *Dalla pediatria alla psicoanalisi*. Tradução para o italiano de C. Ranchetti. Firenze: Martinelli, 1975.

WINNICOTT, D. W. Ricordi della nascita, trauma della nascita e angoscia. *In: Dalla pediatria alla psicoanalisi*. Tradução para o italiano de C. Ranchetti. Firenze: Martinelli, 1975.

WINNICOTT, D. W. *Gioco e realtà*. Tradução para o italiano de G. Adamo e R. Gaddini. Roma: Armando, 1990.

WITTKOWER, M.; WITTKOWER, R. *Nati sotto Saturno*. La figura dell'artista dall'antichità alla Rivoluzione francese. Tradução para o italiano de F. Salvatorelli. Torino: Einaudi, 2005.

Filmografia

AJA, Alexandre. *Mirrors-Riflessi di paura*. EUA, 2008. [BR: *Espelhos do medo*]

ALMODÓVAR, Pedro. *La mauvaise education*. Espanha, 2004. [BR: *Má educação*]

ANNAUD, Jean-Jacques. *Deux fréres*. França-UK, 2004. [BR: *Dois irmãos*]

BERGMAN, Ingmar. *Il posto delle fragole*. Suécia, 1957. [BR: *Morangos silvestres*]

BERGMAN, Ingmar. *Il settimo sigillo*. Suécia, 1957. [BR: *O sétimo selo*]

BERGMAN, Ingmar. *Persona*. Suécia, 1966.

BERTOLUCCI, Bernardo. *L'ultimo imperatore*. China-UK-França-Itália, 1987. [BR: *O último imperador*]

BROOK, Peter. *Il signore delle mosche*. UK, 1963. [BR: *O senhor das moscas*]

COOMBS, Neil. *A broken life*. Canadá, 2008. [BR: *Entre a vida e a morte*]

COPPOLA, Francis Ford. *Apocalypse now*. EUA, 1989.

CRONENBERG, David. *Crash*. Canadá-UK, 1996. [BR: *Crash — estranhos prazeres*]

FELLINI, Federico. *8 ½*. Itália-França, 1963.

HANEKE, Michael. *Niente da nascondere*. França-Áustria-
-Alemanha-Itália-EUA, 2005. [BR: *Caché*]

HANEKE, Michael. *Funny games*. EUA-França-UK-Alemanha-Áustria-Itália, 2007. [BR: *Violência gratuita*]

HONORÉ, Christophe. *Ma mére*. França-Portugal-Áustria-
-Espanha, 2004. [BR: *Minha mãe*]

KASSOVITZ, Mathieu. *L'odio*. França, 1995. [BR: *O ódio*]

LOSEY, Joseph. *Il servo*. UK, 1955. [BR: *O criado*]

LYNCH, David. *Twin Peaks*. EUA, 1990-1991.

LYNCH, David. *Strade perdute*. EUA, 1996. [BR: *A estrada perdida*]

LYNCH, David. *Mullholland Drive*. França-EUA, 2001. [BR: *Cidade dos sonhos*]

NOLAN, Christopher. *Inception*. EUA-UK, 2010. [BR: *A origem*]

ROSE, Bernard. *Candyman — Terrore dietro lo specchio*. EUA, 1992. [BR: *O mistério de Candyman*]

RYE, Stellan. *Lo studente di Praga*. Alemanha, 1913. [BR: *O estudante de Praga*]

SCOTT, Ridley. *Blade Runner*. EUA, 1982.

SCOTT, Ridley. *Il gladiatore*. EUA-UK, 2000. [BR: *Gladiador*]

TARANTINO, Quentin. *Kill Bill*. EUA, 2003.

TSUKAMOTO, Shinya. *Tetsuo I*. Japão, 1988. [BR: *Tetsuo, o homem de ferro*]

TSUKAMOTO, Shinya. *Tetsuo II*. Japão, 1992. [BR: *Tetsuo, o homem-martelo*]

TSUKAMOTO, Shinya. *Il cacciatore di sogni (Nightmare Detective)*. Japão, 2006. [BR: *Caçador de pesadelos*]

TSUKAMOTO, Shinya. *Tetsuo III*. Japão, 2009. [BR: *Tetsuo, o homem-bala*]

Coleção da

SOCIEDADE PSICANALÍTICA DE PORTO ALEGRE
FUNDADA EM 1963

Filiada à International Psychoanalytical Association

1. *Primeiro, o corpo: corpo biológico, corpo erótico e senso moral*, de Christophe Dejours

2. *Perder a cabeça: abjeção, conflito estético e crítica psicanalítica*, de Giuseppe Civitarese

Presidente
Dr. Zelig Libermann

Diretora Administrativa
Psic. Cátia Olivier Mello

Diretora Científica
Dra. Maria Cristina Garcia Vasconcellos

Diretor Financeiro
Dr. Carlos Augusto Ferrari Filho

Diretora do Instituto
Dra. Maria Lucrécia Scherer Zavaschi

Diretora de Publicações
Dra. Tula Bisol Brum

Diretora de Divulgação e Ações junto à Comunidade
Psic. Kátia Wagner Radke

Diretor da Infância e Adolescência
Dr. Rui de Mesquita Annes

LIVRARIA DUBLINENSE

A LOJA OFICIAL DA DUBLINENSE,
NÃO EDITORA E TERCEIRO SELO

LIVRARIA.DUBLINENSE.COM.BR

Este livro foi composto em fontes ARNHEM
e CAMPTON e impresso na gráfica PALLOTTI,
em papel LUX CREAM 90g, em AGOSTO de 2019.